武俠誌

天馬行空 破格創新

天行者出版
SKYWALKER PRESS

三國無常
謝鑫 著

目錄

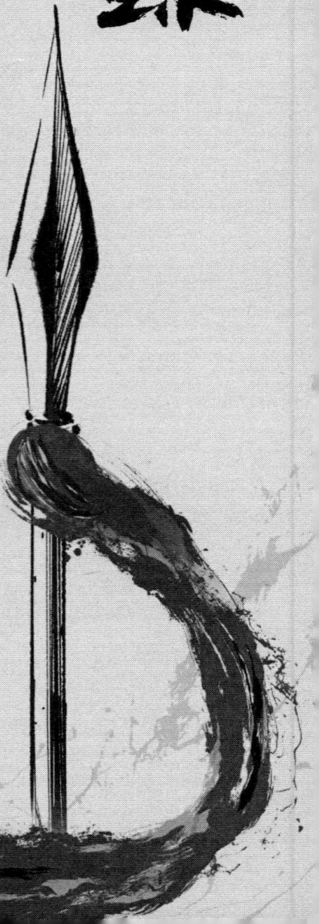

推薦序

香港推理小說作家　陳浩基

記得當年擔任第一屆天行小說賞評審，讀到最後一部入圍作品時，我邊讀邊讚嘆，心想這位作者有一份超越其他新手參賽者的特質——淵博。該作名為《知節》，是以隋末唐初為背景，借程咬金這個歷史名將，創作出一部糅合現代間諜小說的新派演義故事。結果《知節》順利成為首獎之一，而我亦有機會跟作者謝鑫碰面，多了解他的一些背景，並且向他表示十分期待他的下一部作品。

然後，這個「下一部作品」終於來了。

《三國無常》有別於《知節》，故事增加了大量靈異奇幻元素，和傾向寫實的前作有很大的差異，不過，讀畢本作後，我再次感受到當年讀《知節》那種感嘆。不少作家，假如打算利用三國為背景去寫奇幻故事，大概會一味天馬行空，將前人未寫過、破天荒的橋段當成主菜，肆意創造有趣過癮的情節；然而，謝鑫卻在想像力之外，緊抓住種種歷史元素重新詮釋和加以發揮。我說的歷史元素，不獨是我們在史書讀到的事蹟，作者更透過奇幻風格的劇情演繹不少漢末的社會細節、發掘古早中原人的意識形態。本作不止是一個借三國時代來上演正邪大戰的奇幻武俠故事，更是一部作者嘗試利用這手法去探索歷史人物的個性、情感與抉擇的特殊作品。

由於謝鑫曾任漫畫編劇，所以他的作品一向有著強烈的爽快感，可說是全無冷場，毫不拖沓。一個有著豐富想像力、掌握俐落敘事技巧、兼備深刻背景知識的作者，即使在一眾老鳥作家當中也不多見。讀畢《三國無常》，我不得不向他再說一次，期待他的下一部作品了。

推薦語

台灣推理、歷史小說作家　李柏青

省思人生令人驚艷，從亡魂的角度再複習人生，從父子到夫妻到兄弟，精彩呈獻另一個角度的三國世界。

喪禮

序

青瓦大宅上，灰茫的焚香緩緩騰升，書著「孫」字的大旗在風中輕揚。這是一面失去主子的旗幟，旗幟之下，還有一群失去主子的臣民。

時值東漢末年，死人甚於活人的時代。

「哈！」孫伯符俯視眾人，只覺那一張張悲痛的哭喪臉容相當滑稽：「鬧劇。」

「豈可胡言？」飄盪於伯符身旁的白衣老人怪責道。

「哭哭啼啼，死人就能復生？」

「畢竟是喪禮。」

「有空搞這些無謂儀式，還不如去幹活。」

「這畢竟，是你的喪禮。」

伯符語塞，不屑之意消減了幾分。

「你還年輕，尚未理解喪禮的意義。」

伯符微微笑道：「尚未？只怕永遠無法理解，畢竟我已不會再老去。」

老人沉默。

「死都死了，不必在意。」

適室的門突然敞開，身穿斬衰喪服的少年大步踏出，並粗野地撞開擋路的家丁。他左手揪著大梯，右手抱著染血的戰袍，不顧眾人阻撓，闖到適室之東，然後架梯，爬到屋脊揮舞戰袍，霍霍生風，有如戰場上迎風飛揚的軍旗。

「皋！孫策大哥復！」少年朝北高喊，聲勢之大，幾將房頂瓦片震落。

伯符噗哧一聲，笑了出來。

「笑什麼？這可是古禮！」

「我知道，父親死時，就是我這長子來幹復禮。」伯符收不住笑意：「只是沒想到從旁看來，竟這般可笑。」

老人搖頭嘆息，滿是無奈。

伯符卻不作收斂，繼續笑道：「而且還什麼孫策大哥，有這麼喊的嗎？」

「說來奇怪，他是你其中一個弟弟吧？」
「對，三弟孫叔弼。有何奇怪？」
「招魂復禮本該遵嫡庶長幼而行，你父親葬禮時由你來當，正因你是嫡長子。」
「畢竟紹兒才剛滿歲。」
「我當然知道，我是指你的二弟。」老人沉聲。
伯符沒答話。
「而且你三弟身穿的是斬衰喪服，那也應要按嫡庶長幼——」老人話未說完，就被伯符擺手打斷。
「我們進去瞧瞧吧？」伯符說道。
然後二人就降下身子，飄入室內。
適室被裝設成靈堂，堂上放有一床，孫策的遺體就安放其上。伯符看著自己，伸出右手，輕撫遺體面頰上，那道突兀的傷疤，是自己遭行刺時所受的箭傷，也是奪去其性命的禍首。
「這就是我孫策的最後一面嗎？真可笑。」
「不，那只是一具空皮囊而已。」老人道。
「哈，難道你想說，現在這飄來飄去的鬼東西才是真正的我嗎？」
老人閉目道：「也不，魂魄只是生命的殘餘，真正的孫策已經逝去，不復存矣。」

伯符一怔，然後淡然地笑了笑。

接著，又一個身穿斬衰的少年登場，他捧著青瓷碗，不徐不疾地走到床邊，是孫策的四弟——季佐。孫季佐俊如玉雕，膚色卻過於蒼白，雙目紅腫，雖然面帶病容，但步履輕盈，衣袖隨之飄飄，有若神仙之姿，攝去堂上眾人的目光。

眾人屏息以待，觀賞孫季佐徐徐跪下，眼泛淚光，從碗裡取出一匙飯和一塊玉貝，餵入孫策遺體口中。

然後，一個神情木訥，同披斬衰的紫髮少年，攬著一張寬大的薄被，謹慎地蓋向孫策，完成襲禮，示意其長兄已隔絕於塵世。

伯符突然感到一陣溫暖，也莫名有了飽足之感。

「喪禮期間，靈堂範圍內，死者能再次，亦是最後一次與肉體聯繫。」沒等伯符問起，老人便已答道。

「古人是知道，所以才搞這些又餵飯又蓋被的儀式嗎？」伯符奇道。

「不，只是巧合，只因靈堂內聚滿了對死者的思念，才會如此。」

「那麼，當喪禮結束，或離開靈堂，就再也感覺不到溫飽，也體會不到飢寒了麼？」伯符問道。

「可以這麼說，但魂魄亦有魂魄自身的感覺，之後你自會明白。」

伯符默默看著自己的三個弟弟，再環視靈堂，先望向母親，接著是幾個妹妹，然後是張昭為首的一眾家臣和江東各大士族的來使，最後，目光停留在自己那出生不久的兒子——孫紹身上，卻始終不敢將視線抬高少許，去一睹他妻子的面容。

伯符看著自己的兒子，心生不捨，卻又馬上深吸一口氣，然後說道：「好了，走吧。」

「走？去哪？」老人懵了。

「該上路了，履行你說的那什麼狗屁家傳承諾，當什麼無常去。」

老人瞪了伯符一眼，然後再道：「可這喪禮剛開始，三日後才入殮，你還有時間，不想再多陪陪家人，再多感受一下肉身嗎？」

「兵貴神速。」伯符笑說。

老人無奈搖頭。

「而且我可不想看到這些平日一臉嚴肅，或是威風八面的家臣，哭踊時捶胸頓足的樣子，我又會忍不住笑的。」伯符說罷，便邁向大門。

老人望著伯符的背影，又搖了搖頭，然後騰起身子跟上。

然而，伯符方到門前，便聽到一陣急促的踏踏蹄聲。一匹白馬衝開了大門，背上那身穿斬衰喪服的人閃身落馬，大步流星地走入靈堂，揪起孫策的屍身，一拳揮到其遺容上，吼道：「你這狗屎混蛋！」

「哎！」伯符撫著臉頰，嘆道：「痛楚就不必了吧？」

堂上眾人都嚇呆了，莫敢張聲。須臾，他們才發現那一臉怒容的行凶者，竟掛著兩行深深的淚痕。那人繼續痛罵，但聲音漸低漸沉，甚是哀傷：「你、你他媽的竟敢比我先死！」

這人俊美不亞季佐，卻更剛毅，更壯實，單從其步伐及下馬的動作，便知是名老練的戰將。

「瑜兄。」仲謀打破僵局，卻沒有責難。

「哈哈哈哈！」伯符大笑。

「你怎麼還笑得出？」老人訝異：「那傢伙可是在靈堂上打了你一拳，但你的兄弟們卻還向他打招呼！」

「那狗屁混蛋也是我的兄弟啊。」伯符話畢，再度邁步。

「等等，你不理了嗎？你雖稱他為兄弟，但畢竟是外人，卻也僭穿斬衰，來者不善！」老人急道。

「現在由仲謀管事，等他處理吧。」

然後，伯符便步出孫宅大門，才剛跨過門檻，他已感到體溫迅即消逝，卻又沒有寒冷之感，視野像濛了層霧，失去色彩，並耳鳴不斷，身體彷彿要裂開，不集中精神，似乎就會隨時灰飛煙滅。

伯符強忍著不適，嘗試調息，卻發現再怎麼用力，也沒有呼吸之感。與其說難受，更像被掏空一切，但又非完全失去感官，他仍能睹物，仍能辨音，卻都不似以往鮮明。

「這……就是死亡？」

「性急小子，後悔了沒？」

「反正都要離開，遲或早有何分別。」伯符再次笑了：「來，于吉，該說說無常之事了。」

「唉……隨老夫來吧，去無人之地。」于吉飄向西方，卻刻意放慢。

伯符本想立刻跟上，卻在最後一刻把持不住，回頭望向孫宅。因為周公瑾的關係，大宅一片混亂，大門和適室都仍未關上。

伯符再度望向兒子，然後目光悄悄上挪，只見她一臉茫然，卻沒半點淚光纏在眼眸，雖然孫策已經沒有了心，但胸口還是緊了一把。

「……抱歉。」

「孫家大小子，現在才來留戀麼？」于吉道。

伯符望向大門上那漆著「孫宅」二字的牌匾，笑道：「我已不是孫家人。」

「叫我伯符吧。」他解去一直緊束的髮髻，讓長髮披落，再用兩指在蒼白的面頰上輕輕一劃，劃出一道箭疤，道：「不，連伯都不要了，就單字一個——符。」

一番鬧騰後，孫家大門，終於徐徐關上——

廣開兮天門，紛吾乘兮玄雲。
令飄風兮先驅，使涷雨兮灑塵。
君迴翔兮以下，踰空桑兮從女。
紛總總兮九州，何壽夭兮在予。
高飛兮安翔，乘清氣兮御陰陽。
吾與君兮齋速，導帝之兮九坑。
靈衣兮被被，玉佩兮陸離。
壹陰兮壹陽，眾莫知兮余所為。
折疏麻兮瑤華，將以遺兮離居。
老冉冉兮既極，不寖近兮愈疏。
乘龍兮轔轔，高駝兮沖天。
結桂枝兮延佇，羌愈思兮愁人。
愁人兮柰何，願若今兮無虧。
固人命兮有當，孰離合兮可為？

——《九歌．大司命》

一 無常

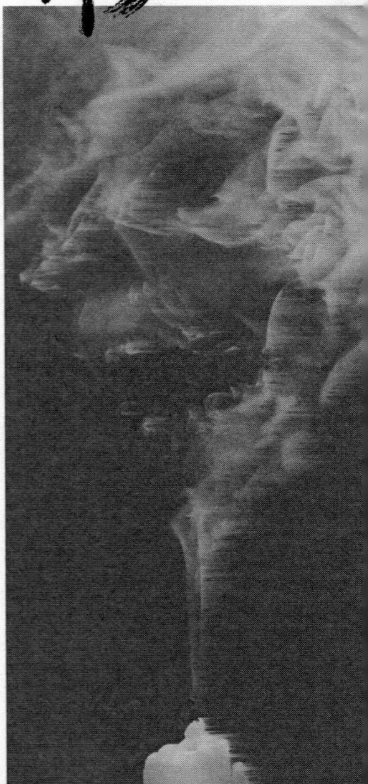

人死如燈滅。
燈滅尚餘煙。

人死，魂魄離骸，並循生前習慣，在陽間遊蕩徘徊，直至無常來臨。

無常會將三魂七魄瓦解，讓三魂重歸天地，七魄則會碎散成無數細屑，並於新生胎兒的三魂牽引下聚合，輪迴成新生的魂魄，繼而於十月胎成時，重生為人。

魂魄輪迴不息，但每一世都獨一無二。

「所以無常要做的，就是將遊魂野鬼打得魂飛魄散？」符問。

「你這是什麼思維……」于吉反問。

兩人並肩，向著城外的幽森密林前進。

「武人思維。」符爽朗地道。

「唉，真是的，就知道打打殺殺。」于吉無奈：「不過……倒也沒錯，反正就是要設法將魂魄分解，而打散確是其一之法。」

符故意地快走兩步，再囂張地回過頭來，向于吉露出一個煩人的笑容。

于吉瞪了符一眼，續道：「但亦不全對！你說遊魂野鬼，但魂魄和野鬼是不同的。人，是由肉身和靈魂組成，失去肉身，靈魂就會化成魂魄，仗著生前記憶和習慣而維持形態，但終究是人的殘餘，隨著靈力消耗，慢慢就會瓦解。

而鬼，形態雖似魂魄，卻能從周遭吸取靈力，就如人之臟腑，將糧食化為力、氣一般。不被打散，鬼將一直存在。另外，也有生而為鬼的鬼族，但已是山海時代之事……」

「那我也會漸漸瓦解成三魂七魄？」符問：「還是說，要當無常，就要先成為鬼？」

于吉微笑道：「沒錯。」

「莫非神仙亦是差不多的存在？」

于吉的笑容立馬收斂，神情變得相當僵硬。

「如果是禁忌的話，就別說了，說回無常的事吧。」

于吉深吸一口氣，調整內息，然後反問道：「在我找上你之前，你認為無常是何方神聖？」

「用來嚇小孩的故事？無知者讓自己安心的信仰？咒罵他人時的狠話？還有……就是

抓鬼的傢伙？」

于吉皺眉：「那無常為什麼要抓鬼？」

「這倒沒細想，因為一直都與我無關呢，讓我想想……」符裝著在沉思：「有什麼好想呢？反正不是本性就是天職？」

「就是天職。」于吉的眉皺得更深：「無常受大司命眷顧，所以超脫於野鬼，亦因而身負重任，負責驅散陰魂不散的冤魂和惡鬼，以令其魂魄重歸輪迴。」

「無常都沒搞清楚，怎麼又冒出個大司命出來？」

「大司命可是掌司生死的神明，不會沒聽説過吧!?」

「有是有，但以為只不過是屈原寫的辭而已，還難記得要命，想起就頭痛了。」

「那辭寫的就是這司命之神。」

「那要去拜見過大司命，才能成為無常嗎？」

「大司命無處不在。」于吉一臉虔誠地仰頭望天。

這回到符皺眉了：「那無常們怎樣幹活？到處遊蕩，看到冤魂惡鬼就出手？還是按指令辦事？」

「自然是後者。」于吉道：「無常是為了輪迴的大業而存在。畢竟冤魂惡鬼多了，能投胎的魂魄就少了，這會影響新生世代。禍亂之世，常源於輪迴魂魄稀少。」

「這不就是在説當今天下嗎？」

「沒錯。」

「哇，意外地得知了天下大亂的原因呢，既然你們都知道，那為何不徵召更多無常？

怠忽職守嗎？」

「亂說什麼！無常可不是誰都能當的，雖說亡魂擺脫了肉體，沒了體、力之別，卻仍會因應靈力之多寡而生出高低。」于吉道：「靈力不夠的亡魂，對抗不了冤魂惡鬼，自然當不了無常。」

「那會找我當無常，即是說我的靈力夠強吧？不愧是人稱『江東小霸王』的我呢！」

「別囂張，雖然沒錯。」于吉面有難色：「其實從該人在生時的表現，就能大概推斷出靈力高低。」

「哪方面的表現？腦袋和力量？」

「也不算錯，但準確說，是才，通常在某方面出類拔萃的人，靈力都出類拔萃。」

「有才者不是很多嗎？」符臉色稍稍一沉：「在我手下，就不乏身手不凡者，只是有很多尚未打出名堂就犧牲了。」

「畢竟除了才外，還要看緣。」

「即是靠關係？那和俗世有何分別？」符不屑道：「還以為死後的世界會更乾脆些。」

「亡魂世界，也不過是俗世的殘餘。」

符不想糾纏在沒趣的地方，於是轉問：「那我的緣，就是來自那家傳的承諾？」

「沒錯。不過說是家傳，其實算上你，也不過是第三代而已。」于吉說畢，微微嘆息了一聲。

「可以告訴我了麼？家傳承諾之事。」

「不，還不是時候，起碼要等你成為獨當一面的無常。」

「但你說了這麼久，都還沒說到如何成為無常。」

「還不是被你帶偏了！」于吉清咳兩聲，續道：「要成為無常啊，就先要學會呼吸靈力，讓靈力在靈體內循環，就能成為鬼。然後就需要連繫上靈巫，無常的任務都是由靈巫分配。」

「又跑出個靈巫來，好複雜啊！那靈巫又是人是鬼？」

「活人為主，大多是家族祖傳的職責。」于吉解釋道：「靈巫能通靈，接收到神明的話語，所以自古以來就肩負向人鬼傳達神旨的職責。而最初的無常，就是由與大司命通靈的靈巫牽引而成。」

「那要如何連繫他們？直接找上他們家嗎？」

「靈力匯集，會形成靈流。每個地區都有靈流異常集中之地，稱為靈驛。只要找到靈驛，就能透過四通八達的靈流連繫上靈巫，一旦連繫上後，無論天南地北靈巫都能找上你。」

「這不是很煩人嗎？我可以反過來找靈巫聊天嗎？」

「不行，無常只能向靈巫傳達是或否兩種答覆，向靈巫傳達意識，就代表是，不傳達，就代表否。」

「嘖，真沒趣。」

「總而言之，只要先成為鬼，然後找出靈驛，再連繫上靈巫，就能成為無常。」然後，于吉拋出一個狡黠的眼神，似是引誘符一般，徐徐說道：「而成為無常後，按照靈巫之令驅除冤魂惡鬼，就能累積陰德，累積足夠陰德後，就能——」于吉故意頓了頓，才高呼說道：

「——受封成神！」

符的表情卻毫無起伏。

「怎麼……對封神不感興趣嗎？」

「也不是，只是不了解而已。」符漫不經心地道。

于吉失笑：「一般人聽到能封神，都會興奮得不得了，但你卻……哈……」

「我只在乎目前。」符說：「不如說回無常的事吧？要如何學會呼吸靈力？」

于吉搖了搖頭，輕嘆一聲，然後苦笑道：「呼吸靈力，就是讓靈力走入你的靈體，再走出去，但要讓呼吸持續，就要構築讓靈力循環的臟腑。要構築物體，就要學會雕琢靈氣的技藝，稱為氣煉。」于吉停下了腳步，並伸出手道：「就像這樣。」一陣白煙就從他掌心滲出，並漸漸聚成一團，變得緊密。白煙不斷聚集，然後壓縮，最後，化成了一把短刀。

「來，送給你。」于吉輕輕揚手，短刀就飄到符面前。

符接過短刀，邊端詳邊驚嘆：「刀身的剛硬、刀刃的鋒銳，還有新鐵的光澤，都幾與真刀無異……真奇妙！」

「你越熟悉那事物，氣煉出來的就越像實物。」

「如何才能做到？教我！」

「先要熟習氣的概念和流勢，凡人大概花三個月方能掌握入門。但其實你早已氣煉過了。」于吉見符疑惑，便點了點嘴角道：「你離開孫宅時劃出疤痕的手法，就是氣煉。」

符沉思了一會，然後伸出二指，放在短刀刀身上，卻什麼也沒有發生。

「不必著急，你的步伐已經比別人快了不少。」然而，沒待于吉說畢，符的指尖已開始冒出白煙。白煙過後，刀身變黑，成為了一把黑鐵短刀。

「你……做了什麼？」于吉驚道。

「我在嘗試能否用氣煉來去除雜質，以讓這刀變成熟鐵。」符敲了敲刀身，失望地道：「不太理想……和優良的熟鐵相比，還是有些差距。」

于吉啞口無言，符這隨意的一著，已突破了氣煉現有的界限。過往氣煉之法，均為構築物體，但符卻氣煉出技法工藝這種無形之術，實乃破天荒之舉，然而這奇特的一著，到底會帶來何等影響？于吉實在無法推算，所以他選擇保守：「你別隨意在他人眼前使用這種氣煉。」

「為何？是怕被對方知道自己底細嗎？」

「……沒錯。」

「那接下來，就是氣煉出呼吸靈力的臟腑？」

「對，不過單憑口述難以說清，我們先去抓個亡魂來研究研究。」

「要到哪找亡魂？回城裡嗎？」

「不必，你認為我們走到這密林是為了什麼？」

「呃……為了氣氛？」

「噗哈哈哈！傻小子，就喜歡說笑。」

走著走著，原來二人已經來到密林的邊緣，陰暗的樹影漸漸疏落，早已遮掩不住漫天而來的稀薄銀光。符隨于吉踏出密林，視野開闊，深沉的夜色，襯托新月微光，似在指示密林的盡頭，那片狼藉的平原，平原上堆著過百具蒼白的骸骨，大都披著染紅的戰甲。

「戰場嗎？」符環顧四周：「屍骸都化成白骨，竟還沒人來打理……」

于吉沒說話，只是靜靜地望著符。

「等等……」符恍然：「這裡是吳的邊界，即是說，這場仗和我有關？」

于吉出於嘲諷笑了一笑。

「我這當的什麼君主，竟然連家門前的戰場都能忘了收拾……」

「希望別連我們來這的目的都忘了。」

符這才想起，他們是來捉亡魂的，而要找亡魂，有什麼地方比戰場更理想？

「但過了這麼久的戰場，還會有亡魂嗎？」符再度環顧，卻沒發現。

「意志薄弱的是會消散，但意志稍強的，會繼續徘徊。」于吉指向前方稍稍隆起的高地：「我們到那邊守候吧。」

「說來，為何我們能踏足地上？」符踏上小丘時，突然感覺不妥：「既然我們已經沒有肉體，豈非連大地也能穿過嗎？可是我的每一步，都緊緊貼在地上……是因為大地也有靈氣，所以能承托我們？」

「……我倒沒想過，但別深究，魂魄的存在很看重習慣和印象，當你慣於踏足大地，那魂魄自然能行走其上，但當你開始質疑，那過往的習慣和印象就會漸漸消失，維繫魂魄形態的張力也會瓦解。」于吉凝重地道：「等你成為鬼，不必再依賴習慣和印象時，再去想這些無聊事吧。」

「無聊嗎……」符說：「不過就這樣輪迴了也的確不妙。」

「看，出現了。」于吉指向的前方，有一個身穿臃腫戰甲，舉著金絲「仲」字大旗的士兵在著急地小跑著。

「是儀仗兵。」符面色一沉：「而且……是袁叔，不，袁術的手下。」

「如此說來，地上不見兵器，不像尋常事，到底是發生何事？」

「大概是來向我求援，卻被人自把自為截擊。」符走向那儀仗兵，並道：「不過都不重要了，讓我先逮住這小子。」

「等等，小心點！畢竟是徘徊多時的魂魄，不是意志過人，就是含恨而終，都不好惹的！」

然而符幾個跳步，已來到儀仗兵面前。儀仗兵先是怔了怔，然後眼白布滿了紅絲，渾身發抖，並散發出不祥黑氣。

符卻毫不在乎，正面撲了過去。

儀仗兵揮舞大旗，竟生成一陣狂風。符卻輕輕一翻，已避過旗杆的攻擊，並來到儀仗兵的身後，符雙手向其脖子一纏，就這樣制伏了發狂的儀仗兵亡魂。

「抓住了，然後呢？」

于吉搖了搖頭，無奈地煉出一根粗麻繩，拋向符道：「唉……先綁住他吧。」

符將五花大綁的儀仗兵扛到于吉面前。于吉拔出腰間小刀，卻對儀仗兵那臃腫盔甲無從入手：「唉，該先脫掉他的甲冑再綁的。」

「將甲冑煉走不行嗎？」符見于吉一臉驚愕，於是解釋：「我只是想，既然能煉成，應該也能煉走吧？」

「對啊……怎麼從沒有人想過呢？」于吉將手放在儀仗兵的盔甲上：「讓我來試試。」

于吉手掌開始冒氣，卻非先前那輕盈的白煙，而是沉沉的黑霧。只見儀仗兵的戰甲被黑霧蠶蝕，逐漸變薄變細，然後層層消失。

「呼……」于吉將盔甲都化去後，便倒在地上，大口喘氣：「這可比氣煉累多了……」

「接下來呢？還是先等老爺子你回一回氣？」符笑問。

「多事！」于吉將小刀飛向符，氣道：「先破開他的肚皮！直接看，這最易分辨鬼和魂魄的方法。」

「他會痛嗎？」

「別讓他望著，再俐落下刀，就不會痛。」

「好。」說罷，符便解開儀仗兵的腰帶，綁起其雙目，然後手起刀落，剖開肚皮，他果真沒哼出半聲。

「不愧是馳騁沙場的武將……下手乾淨俐落。」

「然後掰開他嗎？」

「對。」

「好吧，這難倒我了，雖然我殺人如麻，但還沒試過掰開別人的肚皮呢……」符雖然如此說道，雙手卻爽快地用力一掰，然後問道：「嗯……這其中有什麼奧妙嗎？」

于吉狐疑，於是伸過頭來看看，才發現儀仗兵的肚裡的確沒什麼特別，只有些鮮活的內臟。

「唉，失策。」于吉嘆道：「如果是普通人的魂魄，肚裡面應該空空如也，只怕這士兵看得太多腸穿肚爛的情景，印象太深，所以其靈體才會連內臟都生成。幸好不是屠夫，否則連屎也有。」

「那他已經是鬼了嗎？」

只見于吉一把抓起儀仗兵的肺，然後剝開，把符嚇了一嚇。

「堂堂將軍也怕這些事？」于吉笑著將破開了的肺朝向符：「看。」

「我殺敵是為了勝仗，不是搞這些獵奇玩意的。」符本來不敢細看，然而從指縫一瞥，卻有所發現：「咦，怎麼裡面什麼也沒有？」

「這些沒功能的印象內臟都是虛有其表。」于吉邊說邊將內裡空蕩的肺塞回儀仗兵裡：「鬼的臟腑也不像人類般複雜，嗯……就似是一黑一白兩條魚在互相追逐的樣子？雖然不快，卻會一直運轉不息。」

「嗯……」符盯著于吉的肚子問道：「可以讓我看看嗎？」

「混帳，鬼魂的事，一意識到就和實際被剖腹沒分別的了！」于吉一邊氣道，一邊為儀仗兵縫上傷口。

「鬼魂這麼敏感的嗎？」符笑道：「那要不……我趁你不注意時？」
「你有種試試。」于吉為儀仗兵鬆綁，再拍拍他的頭，並用一種詭異的聲調在其耳邊輕聲說：「好，你可以走了。」
儀仗兵就像沒事發生過一樣，扛回他的金絲大旗，著急地小跑離開。
「真奇妙，明明把他的肺都給掏出來了，竟然還能……」
「因為意識對鬼魂的意義比在世時重要得多。」于吉道：「不過，若用靈力強行將他打散，也是能讓他輪迴的。」
「那為何不幹？」
「一來，他還沒能力害人，再者，靈力太低，也賺不了多少陰德。」
「……真市儈。」
二人相視而笑。
「那麼，接下來我就是要努力修煉，以煉出什麼呼吸靈力的臟腑……呃，這名字真長，有簡短點的稱呼嗎？」
「有的，其實這臟腑就是三魂中的天魂，稱為胎光。人會死，就是失去了胎光，而煉出臟腑，其實就是重新煉出胎光——」
「好，那就開始修煉吧！」符打斷了于吉的長篇大論。
反正做到就行，原理什麼的都不重要，符如此想道。

惡鬼 二

黑色信鴿從東方飛來，劃過長安城灰茫的天空，來到城西一處荒原之上，盤桓不去，似是在等待荒原上狂暴的亡魂被平息。

這片荒原，是曾經的權臣李傕和郭汜，攻打長安時的其中一個戰場，雖已事隔八年，仍有不少陣亡的士卒陰魂不散，並早已化為惡鬼，肆意吞噬周遭大地及途人野獸的靈氣，讓這片曾經翠綠的平原，成為生人勿近的荒地。

此時，卻有一個高挑壯實，皮膚黝黑，身穿白衣，外表約莫二十多歲的青年，向著惡鬼們徐徐迫近。

惡鬼們一同瞪著青年，然後張開血盆大口，發出狂歡般的咆哮。他們已很久沒品嚐過亡靈的味道了。

「連我也想吃掉嗎？真狂妄。」青年毫無懼色，將右手高舉向天，一陣白煙從手心噴湧而出，迅即煉成一把比人還高的赤銅色長柄巨斧，然後俐落地迴旋揮舞了兩圈，再將斧柄末端重重敲入地面，激盪起一陣烈震，令惡鬼們晃得腳步踉蹌。

惡鬼們穩住陣腳，再度咆哮，卻已沒了歡愉，而是增添了更多的狂怒，同時夾雜了幾分恐懼，即使他們早已失去理智，但憑著本能，仍知道來人非比尋常。

「無常華雄，奉大司命之令，鎮邪逐惡！」華雄大喝一聲，提斧前躍，這一躍足有七、八丈遠，已來到眾惡鬼中央，不待他們反應過來，華雄已握起巨匠，旋身一掄，將身旁的五個惡鬼攔腰砍成兩段。

被腰斬的惡鬼先是慘烈悲鳴，然後聲線漸漸息止，被砍開的斷口和跌落而出的臟腑、血脂，慢慢化成光點，向四方飛散，他們的表情亦隨之和緩，不再猙獰。

「謝、謝謝，都督大人……」惡鬼們含笑而去。

「原來是西涼軍的兄弟。安息吧，願汝等投胎於太平之世。」華雄作揖道。

其餘惡鬼都嚇得怔住，其中一隻惡鬼稍稍回神，竟馬上將另一隻惡鬼推倒到華雄面前，然後拔腿就跑，剩下的也馬上會意，跟著一起逃了。

華雄舉起巨斧，準備手起斧落時，那隻一直盤桓的黑鴿竟降了下來，落在他的肩上。

「怎麼？不能先讓我為這兄弟解脫嗎？」華雄抱怨，卻仍伸手去接黑鴿送來的信。黑鴿不等華雄看信，便先行飛走。

華雄攤開信紙，只見紙上工整地寫著四個字——郿塢董卓。

「董太師？」華雄將信紙揉成粉灰：「原來他仍未輪迴，那……就讓我來為他解脫吧。」

華雄抬頭仰望，雖然烏雲密布，但仍能勉強看到太陽的方向。

「郿塢在長安城西……不就是剛才那班傢伙逃亡的方向？」華雄望向西方，似乎還能看到惡鬼們的身影：「巧合？還是……這事似乎不簡單。」

華雄將巨斧牢牢插在地上，然後便往西而去。

隨著華雄遠去，巨斧漸漸化為灰煙，在荒野中飛散，回歸成靈氣，灑落在地表，讓這片荒地久違地得到靈氣的滋潤，隨著惡鬼的遁逃，生命即將回歸。

當巨斧完全消散後，已是日落之時，華雄已來到郿塢附近。

郿塢是董卓迫使漢帝遷都長安後所建成的宅邸，雖然稱為宅邸，但其護牆竟同京師長安城一般高厚，而且收藏了大批珍藏秘寶，並存有足三十年用的儲糧，所以，這郿塢實際上就是一座難以攻陷的堡壘。連董卓也不禁自豪嘆道：「事成，雄據天下；不成，守此足以畢老。」

然而，再堅固的堡壘，終究是死物。隨著董卓之死，郿塢變成無人戍守的空城，難以攻陷的堡壘，轉眼成為各路軍隊虎視眈眈的寶藏。

有傳董卓身軀肥壯，死後被陳屍示眾，不知何來好事之徒，竟想到在董卓的肚臍中插上燈芯，以其肚中腐脂燃燈照明，燃燒了五日方滅。而郿塢，在董卓死後不到三天，已經幾被洗劫一空，曾經以為能堅守終老的堡壘，還不及自己的肥油。

但這本應已成頹圮敗瓦的郿塢，卻屹立在華雄眼前，似以靈力大肆修復過，華雄不禁狐疑，誰有這般龐大的靈力，去完成這工事？這起碼要抽乾數千惡鬼方能竣工，而且城牆上還豎立了兩支泥黃大旗，又代表什麼？

那些逃亡的惡鬼，正在郿塢大門前，惴惴不安，卻又不敢妄動，似在等待什麼。他們離遠望見華雄，雖然膽寒，卻又不敢再逃。

郿塢大門徐徐開啟，一名器宇不凡的黃衣男子緩步而出，其身形卻相當奇異，四肢壯實，但肚皮卻異常腫大，比懷胎十月更有甚之。

只見那男子在眾惡鬼肩上輕掃一下，惡鬼身上都驀然地生出一塊泥黃色的披肩，然後兇悍的表情都迅即收斂，變得一臉木訥。

這事實在怪異，連華雄這無常亦不敢輕舉妄動。

然而，那詭異的男子卻向華雄走來，漸行漸近，面容亦逐漸清晰，是董卓。

「華雄啊，你終於來啦！老夫等你很久了。」董卓笑道。

來人的確是董卓，卻年輕得多，似乎只有二、三十歲。其實亡魂成鬼後，外表回復年輕相當常見，連華雄自己也一樣，但董卓卻只有面容和四肢是青年模樣，而那肥肚皮，竟還是死時那般天下無雙。

「董太師，不，董卓。」華雄作揖：「無常華雄，奉大司命之令，助你重歸輪迴。」

「啊……這麼說，你不打算重歸老夫旗下了？」

「抱歉，但吾等已成亡者，我已非你旗下都督，你亦已非太師，請順應天道。」華雄恭敬說道。

「天道？天道為何？」

「蒼天冥冥，四時有序，此乃天道。」

「我等卻云——蒼天已死，黃老當立！」只見董卓手一揮，黑甲黃袍的千人軍馬，便從城門一擁而出，撲向華雄。

死亡，除了是失去肉身，亦是擺脫人際拘束。人生在世，無法獨立於他人，人人都與他人有著連繫，這份連繫，形成了家庭、鄉城以至國家，是倚靠，同時也是束縛。只有死亡，才能令靈魂真正的解脫，在生前飽受人際制約的靈魂，都會沉醉在自由之中，不再結伴。即使如方才那班惡鬼，也只是為了吞噬靈氣才會聚在一起，並非結伴，當荒地靈氣枯竭，他們就會開始互相啃食。

然而，在華雄面前，卻出現了一支逾千的亡魂大軍，整齊的軍服，一致的步伐，都彰顯著他們是一支訓練有素的勁旅，到底董卓用了什麼手段，方能整合這班亡魂，甚至使他們聽從自己的號令？

更難理解的是，董卓募集這支軍隊到底有何目的？

蒼天已死，天，是神明的領域，華雄不敢細想。

縱使華雄身居無常，和仙人地位已相差不遠，但在這之上，還有神明，而神明的世界，非無常之流所能涉足，更非董卓此等邪靈惡鬼可以奢望碰觸。

「董卓，你連神明也不怕？」

「我們的所作所為，正是為了神明，為了我們的神明。」董卓虔誠答道。

華雄更加不解。

對於陰謀詭計，華雄並不在行，他只精於一門，那就是戰。不必多想，亦不必再多說，既然眼前盡是惡鬼，那要做的事，就只有一樣。

「無常華雄，奉大司命之令，鎮邪逐惡！」

華雄雙手向外一揚，整個人像沸騰般噴湧著白煙，郿塢門外瞬間變得煙霧彌漫。

董卓本以為華雄是想藉此遁逃。然而，待白煙散去，只見華雄仍在，他雙手各持巨斧，凜然屹立。

除了兩把赤鐵巨斧外，他身上還多了一件漆黑戰甲，看著厚重，卻貼身舒適，是凡人肉手無法鍛造的工藝。

黑甲白袍赤鐵斧，這是無常華雄全力迎戰的姿態！

「上一次傾盡全力，已經是洛陽那時的事了吧？」華雄憶起往事，不禁泛起笑容，想起了當時的對手，卻又忍不住冒出冷汗。

不知何時，董卓已退到那大軍之後，他揚起右手，示意進攻。

然後，那千人軍隊隨即猛進，挺槍向華雄衝刺。

只見華雄高舉雙斧，猛敲地面，其身軀隨即向前飛進。他揮動雙斧，旋起身軀，化作一道龍捲，直闖敵陣！

亡魂大軍就像遇上狂風時的浪花，被一層層捲起，然後化作飛灰消散。

華雄這捨身一擊，竟砍殺了近百隻亡靈，但衝擊太猛，他自己亦承受了不少傷害，身上多了好幾十條槍痕，若非戰甲保護，說不定已命喪當場。他施展這浮誇的一擊，本意是為了震懾敵人，但對方竟不為所動。

然而，華雄尚有餘力，而且他已闖入敵陣中央。

「我竟然有點懷念……」華雄笑道：「這身陷戰陣的感覺。」

華雄揮舞兩柄巨斧，重新擺好架勢，然後大喝一聲：「來啊——！」

「來，滿足我久違的戰意啊！」

但董卓卻不從其意，叫停了大軍，並道：「不愧是將有十年修為的無常，這批不成氣候的雜牌軍不是你對手，再打下去也只是白費兵力。」

「那你是投降了？」

「別擔心，我旗下還有個能和你較量的傢伙，定能讓你打個過癮！」

當年，華雄在董卓旗下勇武無匹，因而備受賞識，平步青雲，至西涼軍都督之位，即使盡數董卓旗下，也只有兩人的武藝能和華雄並肩。

其中一人，是號稱「飛將」的呂布，而另一人，則是正在城頭俯視一切的男人。

只見那人輕輕一躍，從城頭跳下，城門前的士兵，都如漣漪般整齊散開，空出了一個圓陣。圓陣中只有華雄，和即將落地的男人。那人曲膝落地，拳頭重重敲在地上，竟刮出一陣風，拂過華雄的面頰。

風過，那人已站了起來，微駝著背，他本已不高，看上去再矮了幾分。這人有一張瘦長的臉，留著一頭曲髮和濃密的鬍渣，雙目渙散，嘴唇微張，一副精神不振的模樣，卻隱隱滲透著一股癲狂之氣。

「華雄啊……告訴我，為何人都死了，還要服從軍令？」那人牢騷：「啊，真不想幹活啊……」

「……不過！」兩人幾乎同說道，然後相視而笑，本是微笑，卻漸漸張狂，被壓抑於常理下的狂氣，已籠罩不住。

兩人皆是，都在放聲狂笑！

「高手在前，怎能不跟他打個一頓，對不？」華雄說。

「哈哈，你就是我腸內的臭蟲啊！」那男人又再狂笑，同時，一陣白煙從他身軀噴湧而出，不亞方才的華雄。

郿塢再度被煙霧籠罩，接下來發生的事，除了他和華雄，誰也看不清，等煙霧散退，已是勝負分明之時。

當年董卓軍中，有此一說：兵者華雄，武者徐榮，兼者呂布。這男人，正是徐榮。

三　巫女

「首夏猶清和，芳草亦未歇。」

一個十二、三歲的少年獨坐院中吟道。

「這詩不錯啊，小桔子你寫的嗎？」另一名稍長幾歲的少年，推著一張帶有車輪的椅子來到小桔子身邊。

「不，也是夢到的，寫這詩的人很有趣，明明當官，卻總是遊山玩水。」

「不是那個在輪子上安椅子的人了嗎？」

「哈哈，是在椅子上安輪子啦。」

「你就別再捉這些錯處，反正我這舌頭怕是醫不了的了。」

小桔子一笑置之，然後續說：「不是那個安輪子的人，寫這詩的人可要遠得很，遠到你壽盡時也還未出生呢。」

「這是指我會死得早嗎？」

「人早晚都得死。」小桔子被瞪後，微微作了個鬼臉，然後再問：「你真想知？」

「算了，首先我不信，再來，我也不過是個閒人，明天死，後天死，也沒大太分別。」

小桔子耐人尋味地笑了笑，但少年卻毫不在意：「對了，怎麼這麼好興致來院子吟詩？」

「都是天氣好的禍。」小桔子抬頭仰望，萬里無雲，天空一片清澄，是久違的大晴天。

「呵，想出去遊水玩山麼？」

「不愧是我的好侄兒，就數你最了解我這叔叔了！」小桔子裝模作樣地說道。

「你這傢伙……」少年敲了一敲小桔子的頭：「不過現在不是出門遊玩的時候，我推你在院子繞個圈吧，如何？」

小桔子拐著腳坐上椅子，問道：「為什麼？」

「孫策死了。你不是作個夢，就什都知道了的嗎？」少年推行著椅子說道。

「現在才死？」小桔子屈指一算：「奇怪，他應該上年底時就壽盡了的吧？」

「那時只是被刺行而已，還沒死透。」

「這樣啊……」小桔子一臉狐疑，覺得事有蹺蹊，但也不打算深究：「不過，孫策死了，對我家不是好事嗎？」

「他畢竟是江東之主。」少年凝重說：「即使我等東吳世家再瞧不起他們孫家，但軍權政權都在他們手裡。」

「何況他也死得不是時候。」小桔子眺望北方。

「不是那邊，西邊在這方。」少年指正道：「的確，孫家天字號一第仇人黃祖還在，他背後的荊州牧也不是好惹的。那班自認中原正統的荊州人打下了江東，只會讓我等地方世家更沒地位。」

「不，我更擔心北方。」

「為何？北方袁紹雖然亦和孫家有過節，但好歹有個曹操在頂住他，還無暇南顧吧？」

「不、不，我更擔心的，正是那曹操。」

「呵呵，是被他『屠城魔頭』的名號嚇怕了嗎？」少年嘲諷：「他雖然收拾了那什麼飛將呂布，不過軍力還差袁軍一大截。」

「雖然曹操兵馬不及袁紹，打仗並非只靠數量，否則孫策怎打得下江東？」

「也對。」少年嘆了口氣：「不過，比起外敵，我認為還是所謂的江東父老同鄉人更可怕，那些還有權有勢的大家族，可不知道會做出些什麼來。」

「有理。」小桔子問：「那我們家呢？」

「這就要看當家你了。」少年笑道。

小桔子也笑了笑，然後清咳了兩聲，道：「說了這麼多話，我有點口乾了。」

「領命，小的就這去取柘漿。」少年説罷，便走向大廳。

「呼，他到底有沒有發現，自己在議論正事時的口舌？」小桔子笑望少年的背影遠去，再深深攤入椅中，抬頭望天，清澄的穹蒼，正被一道黑痕劃過，那是一隻黑色的信鴿。

那是一隻活人理應看不見的信鴿，正向吳郡城中那座青瓦大宅飛去。

「看來再過不久，小侄就會遇上那個命中注定之人了。」小桔子喃喃自語：「那個讓我陸家再度輝煌的少主。」

初夏和煦，似在擁抱久受寒冬雨春之苦的萬物，宣告璀璨盛夏即將到來。

但吳郡人民卻毫不領情，臉上仍籠罩陰霾，就如兩位陸氏少年所言，江東人恨孫策，但當下他們還不能失去孫策，失去君主的江東，就像一艘隨波逐流的舟，不知會飄往何方。

但這些事對大喬來說毫無意義，甚至連其夫君之死，也像旁人之事。她所關心的，只有該來卻仍未來的，來自西方的情報。

孫策的喪禮持續了三日，大喬仍是一如最初，木訥地抱著兒子孫紹，不發一言，只偶然遠眺窗外。眾人皆以為她太傷心之故，其實只是心不在焉。

但今日，她終於盼來期待已久的黑色信鴿。

大喬馬上站起，打算胡編個理由回房迎接黑鴿，卻沒想到長久的正坐，讓她雙腿發麻，甫站起便將摔倒。為了不讓懷裡的兒子受傷，她本能地緊抱著他，並扭著身子，讓肩頭著地。

一個矯健的身影及時閃出，從容地抱住大喬。

大喬抬頭一望，抱住她的，原來是伯符的母親，吳夫人。

她雖年過四十，但仍身輕如燕，體魄強健，不亞青年。吳夫人本是大家閨秀，十指不沾陽春水，但自從嫁予孫策之父後，便開始學習弓馬之術，以從夫君郊遊打獵。雖然丈夫早逝，但她狩獵之習至今未改。

「喬兒，沒事吧？」吳夫人柔聲問道。

「沒事，只是一時站得急了點。」大喬應道，雖然幾乎仆倒，但她的聲線仍是毫無起伏。

「我明白的，我也是過來人。」吳夫人讓大喬站穩後，再輕扶她的肩膀，說道：「來，我送你回房休息。」

「啊……好的。」大喬隨意回應，卻惹來周遭人的白眼和閒語，但她並不在意，因為她根本沒留意周遭。

倒是吳夫人，瞪起虎目環視靈堂，讓閒話的人都閉上嘴，然後才攙扶著大喬離開。

吳夫人和大喬緩緩走回房間，途中一直沉默不語。待到房後，吳夫人才吩咐乳娘照顧孫紹，然後和大喬一同坐到榻上。

「喬兒。」吳夫人輕握大喬的手：「我明白你還恨著策兒。」

大喬仍然木無表情，眼神卻滲出了些許疑惑和迷離。

「其實我和你一樣，都是被丈夫強娶過來的。」吳夫人不自覺地微笑，大喬也端坐起來，卻非因什麼規矩禮儀，只是她喜歡聽故事。

「那時我還是個黃花閨女，呵呵，想像不到吧？現在竟會變成這樣。」

大喬沒有和應，但雙眼滿是期待，於是吳夫人接著說下去：「你老爺當時不知從何處聽到我的傳聞，便上門求親。雖然當時的他已闖出些名堂，但出身寒微。我們吳家雖非大望族，卻也有頭有面，親戚們都嫌他輕佻狡詐，所以拒絕了這頭婚事。他立時滿面通紅，緊握劍柄的手都快發紫，那模樣就如受辱的猛虎，把家人都嚇壞了。

當時關於他的傳聞也不太好，雖然屢次殺賊有功，但別人都說他是靠旁門左道的奸計和手段。我想了想，何必因為我這小女子，害家裡惹禍？若我嫁予他後過得不好，也是我的命。於是，我便答應嫁給他。」

大喬雙目瞪得老大，嘴唇微張，聽得津津有味。

吳夫人笑了笑，然後說：「怎樣，是不是和策兒瑜兒那兩個臭小子，帶著兵馬到你家求親很像？」

大喬點了點頭。

「不過，我卻比喬兒你好命些，我和夫君相處得更久，讓我有時間去愛上他。」吳夫人說：「我也知道，如果能再讓你和策兒多處幾年，你也會喜歡上他的，只是……」

大喬見吳夫人哽咽，便學起對方，握住她的手。吳夫人抹了抹眼眸，清了清喉嚨，然後輕撫著大喬的秀髮說道：「所以我理解你為何恨伯符，你不必勉強自己留在靈堂，累的時候就休息吧。」

大喬呆了。她想說些什麼，卻不知怎麼開口，於是只好點點頭。

「乖。」吳夫人道：「那你好好休息，我去找權兒，也是時候處理正事。」

大喬送別了吳夫人後，重重地嘆了一口氣。

正在此時，內室裡傳出響聲，嚇了大喬一跳。

當大喬想去確認是否黑鴿在搗亂時，一個少女神色尷尬地探頭而出。

這少女和大喬相當相似，但面色更紅潤，眼睛同樣圓滾滾，卻更有神，同是瓜子面型，卻更飽滿，嘴唇也更豐厚。雖身穿婦人服，卻還是充滿青春少艾的氣息。儘管她和大喬同年同月同日生，但在這刻，誰都會認為大喬年長好幾歲。

「姐，對不起。」小喬吐舌：「我趕路有點累，所以在你房間休息，不是有心偷聽的……」

「小喬？你怎麼在這？」

小喬故作認真地叉起腰，語重心長地道：「唉！姐啊，你怎麼還是這麼不懂人情世故？」

大喬疑惑地歪了歪頭。

小喬輕撫著大喬的臉頰，說道：「姐夫去世了，我當然要來奔喪安慰你啊！雖然你看上去不需要安慰，但這畢竟是禮節。而且我家那小流氓和你家那大流氓比兄弟還親，一聽到消息就像是趕什麼的趕過來了！說起來就生氣，你可知道他為了趕來，竟跑死了五匹寶馬，還把我這妻子丟下！那也算了，連護衛也不帶，一個勁的趕呀趕呀，都不知道我是他妻子，還是姐夫才是他妻子？我之所以晚他兩天到，都是因為這樣啊，你說氣不氣人？而且啊——」

小喬話未說完，就被大喬的笑聲打斷了。

小喬不滿地問：「你笑什麼？」

「很久沒聽你說話，不知怎的就覺得好好笑。」

小喬無奈嘆息，然後將大喬擁入懷裡，輕拍她的頭，說道：「辛苦你了。」

「辛苦什麼？」大喬也伸手過去摟住小喬。

「難道不是因為孫大流氓平日對你不好，所以他死了你才毫不在乎，甚至還能大笑嗎？」

「夫君他沒有對我不好啊。」

「是嗎？不過單是那時來我們家搶人般提親，就值得恨他們一輩子。」小喬忿忿不平。

大喬反過來將小喬擁入懷裡，冷冷問道：「公瑾對你不好麼？」

小喬掙開了大喬，然後回說：「別亂動氣啊！真不知該怎麼說你，自己的事都不在乎，但對別人的事就——」

「不，只對你的事而已，因為我是姐姐。」大喬更正。

小喬雙頰微微一紅：「沒、沒有啦，小流氓沒有對我不好……啊！這也不是說他對我好啊，只是、只是，呃……」小喬的臉越來越紅，甚至別過了臉：「也、也就是那樣，像一般夫妻那樣而已。」

大喬欣慰地笑了笑：「那就好。」

小喬不好意思地四處張望，並然後發現窗邊的黑鴿：「小黑鴿？發生了什麼大事嗎？」

這時大喬才想起自己回房的目的，於是便走向窗邊：「對，這陣子關中一帶的靈流異常紊亂，就像有數千亡魂聚在一起似的。所以就派小黑鴿通知我手下本領最高的無常去視察，順道讓小黑鴿實地偵測。」
「還是只有工作時才會這麼精神，原以為結婚後會有什麼不同呢。」小喬喃喃自語。
「什麼？」
「啊、啊，我是說這事真的頗嚴重呢！」
「嗯。」
大喬捧起黑鴿，黑鴿便碎散成無數光粒，一一附到大喬身上。
「如何？小黑鴿都看到了什麼？」小喬問。
大喬稍稍沉默，然後才徐徐答道：「是預想中的最壞情況，那些紊亂的靈流，的確是大批亡魂，而且都聚集在同一個地方。」
「那……不太妙吧？」
「不知道，即使是巫史中，也沒記載過這種情況。」大喬神情肅穆：「不過，面對游離的亡靈，要做的事只有一件，就是讓他們重歸輪迴。」
「可惜我不是靈巫，幫不了手……」小喬道：「對了，那個本領高強的無常情況如何？」
「不知道。」大喬望向遠方：「小黑鴿沒足夠的靈力見證到最後，只能等他聯絡。」
「那你人手還夠嗎？」

大喬默默地搖了搖頭。

「只能盼那些半仙儘早培養出新的無常嗎？」

然後，兩人肩並肩坐著，不發一語。直至侍女來通知周瑜在到處找小喬，她才不捨地離去。

孤身一人的大喬挨在窗邊，望著剛升起的殘缺新月，想起吳夫人和小喬說過的話，不禁嘆息：「怎麼每個人都覺得我憎恨著夫君？我只不過是……對他沒感覺而已。」

雖已初夏，仍偶有寒意，一陣清冷的風拂過窗戶，大喬雖冷卻不想動，仍靜靜地坐著發呆。然而，涼風帶來的除了寒意，還有一道信息。

用靈力通訊有其限制，如以黑鴿傳書需要耗用大量靈力，故一般只在靈流引發震動，以長短不一的節奏，發送既定暗號。

而這次傳來的是五次短促的震動，其意為：「新無常完成試煉，可供差遣。」

四 水賊

浙江之水浩浩，尤其是錢塘一段，潮起之時，飛雪連天，似要吞沒大地。但那都是八月的事，現在的浙江，雖未波平如鏡，但亦徐徐而流。夏色披澤兩岸，澄藍的天空和清澈的江水宛為一色，只有一艘輕舟不識趣地橫亙其中，隨波逐流。

舟上架著一把烏黑紙傘，遮擋當空朝陽。傘下有二人，一名是披頭散髮的少年，嘴角有道血紅的箭疤，身穿黑色素服，正百無聊賴地躺臥著。另一名是白衣白髮的老人，朝船頭正坐，雙目緊閉，巍峨不動，只有髮梢在風中擺蕩。

「呵——欠！」符問：「還有多久才到啊？」

「你感覺不到嗎？就在前方。」

符砸舌，然後說道：「只是想找個話題而已。」

于吉輕笑了一聲，嘲諷道：「你連心智都變回十六、七歲了嗎？」

「夠了！」符被氣得坐了起來：「我也不想變成這樣啊！手腳變短，視線也矮了幾分，整個人都不舒服！」

「重煉胎光後，自會變成自己印象最深的模樣。你變成這樣，就代表你心底裡的自己，就是個十餘歲的小鬼。」

「所以你心底裡的自己，就是個百歲老頭嗎？」

「不，我有點不同，我沒活到現在這個歲數。」

「聽不懂。」

「仙人之事，又是另一門學問，況且我不過是不上不下的半仙。」

于吉說畢便走到船頭，裝作看看到達目的地沒有。

「半仙不怕太陽，真好。」

「等你再多些歷練，也不會再怕。」

「還要多久啊？」

「一般來說要四、五年，但你就難說了。」老人嘆了口氣，再道：「畢竟重煉胎光一般也要兩、三年，但你三天就完成，說不定你明天就不怕陽光了。」

「嘻嘻，這是在稱讚我嗎？」

「不，太過異常的，多不是好事。」

符無語，因為他也暗暗感到不妥。

話語靜了，風也息了，輕舟仍在緩緩前行，被船頭劃開的江水，在船尾再聚，一切如昔，就似這船從未存在。

太陽西漸，輕舟靠岸。于吉不等著陸，就開始化去小船，船隨黑霧吞噬，變得越來越小，最後完全消失。

「這招明明是我想出來的，為什麼我卻使不出來呢？」符撐著傘，不滿地問。

「人各有所長，何況你的歷練還不夠。」于吉道。

「歷練歷練，又是歷練。」

兩人沿著岸走，符不斷地找話題，于吉卻心不在焉，望著沿岸風光，神色緬懷，又滿是唏噓。

「故地重遊？」

「算是吧，是片回憶之地。」

于吉目光仍在遠方，符也不好意思打擾，所以就靜了下來。

然而，沉默不了多久，一陣不祥的惡臭便從前方傳來。

「于吉。」符溫和地喚醒沉醉在回憶裡的老人。

「我知道，目的地到了。」于吉回頭望向符，卻怔住了。

「怎麼了？」符感到奇怪。

「沒什麼……」于吉搖了搖頭，再度望向遠方。

符則望向前方，那惡臭的來源。

那人戴著頭巾，穿著短褲，袖口和褲腳都用布條緊緊紮住，手上拿著一把環首長刀，正在路邊割死馬的魂魄，然後一口接一口地吞下。那身是水賊的裝扮，而噬食魂魄，則是惡鬼邪靈的特徵，他就是符的第一個任務。

「好，準備上吧！」符熱身説道。

「上什麼上？你的任務只是視察然後——」于吉話音剛起，符已如離弦之箭，一發不可收拾。

符擺蕩著雙腿，向水賊疾馳。雖然現在的身體手腳變短，肌肉也消滅，卻亦變得靈活，步履更輕盈。符邊拔出腰間的黑鐵短刀，本來稍嫌不夠長，只能防身用的短刀，現在也剛好切合少年的身形。

正在大啖死馬魂魄的水賊，在符起步的一刻已經察覺，但仍漫不經心地繼續進食，待符將至身前，才緩緩抬頭。水賊望向符，卻立馬面色大變，既驚恐又憤怒，身體更開始冒出灰濁邪氣，雙眼亦閃爍不祥紅光。

水賊站起身，準備揮舞手中的環首長刀，卻發現一把漆黑的短刀，竟已沒入自己的胸膛。不等水賊反應過來，符已重新緊握剛飛出的短刀，狠狠地擰了一圈，把水賊胸膛的那條傷口，硬生生開成了空穴。符一手插入空穴之中，將水賊那滲著灰暗濁氣的胎光扯了出來。

「你、你這叛徒，為什麼……一而再的……」水賊氣若游絲，怨恨地道。

「説什麼呢？我又不認識你。」符説罷，便徒手將水賊的胎光捏破，散碎化成飛灰，飄散空中，而水賊的身體，亦開始灰飛煙滅。

「啊、啊啊……」水賊無力地吶喊，然後慢慢跪下、趴下，再躺下。

「這是看不起我的代價，若你早作準備，説不定還能打上兩三個回合。」

姍姍來遲的于吉氣急敗壞地道：「你、你……你看你做了什麼好事！」

「呃……引渡迷失的亡魂？」

「誰教你這樣做的？」于吉説：「引渡惡靈，可不能就這樣打死他，要化解他的怨恨，才可讓他輪迴啊！否則他的怨恨，就會隨著魂魄轉移到下一輩子，令新生嬰孩帶著莫名的怨恨出生！」

「這能怪我嗎？又沒人告訴過我不能這樣做。」

于吉的怒火一下子就被澆熄，他無奈地道：「我、我本想邊行動邊教你的，誰知道你這麼心急……」

「那就是你太慢的錯了。」符狡黠地笑道。

于吉無言以對。

「讓冤恨一同輪迴，會引發什麼大災難嗎？我又會遭受什麼天罰嗎？」符好奇問道。

「那倒不至於有什麼災難，只是承繼魂魄的新生兒會比常人暴躁和憤世嫉俗。」于吉道：「而且也沒到要天罰的程度，只是陰德會被抵銷而已。」

「這樣啊，的確對新生兒不好，我會注意的了。不過你也別總是乍驚乍喜的，小心臉皮越來越皺了。」符再問：「對了，那正確的做法是如何？」

于吉重嘆一口氣，然後才道：「先要觀察，研究惡靈的習性，推斷怨念對周遭的影響，視乎緩急，看是先記錄在案再容後處理，還是馬上著手討伐。如這水賊，就已記錄在案，只需要每月視察，待情況惡化再出手。這才是你本來的任務啊！」

「行了行了，接著説。」

「唉……如果判斷要討伐，亦非立馬交手，而是尋找惡靈的心結，再行化解。最簡單的情況，就是給他一個擁抱，讓他們再度體會人間溫暖。」

「如此輕易？」

「都說是最簡單的情況。而最麻煩的，自然是武力討伐，就如方才，但多半是面對已失去理智，或是數量太多的惡鬼，才會這麼做。」

「那最普遍的做法是？」

「傾聽亡魂們未訴的遺言。」

于吉續道：「畢竟亡魂原是人，大都只想有人傾訴而已，尤其死後，除了過分執著的人外，大多數人都已經放下。」

「真寂寞。」

「沒錯，人死才知道，身為人其實只有寂寞，所以才會不斷有所追求。」

「不過依我看，多數也要先打一場，把亡靈毆個半殘，才方便去聆聽他們吧？」

于吉再嘆了口氣：「這本來再下一個任務會教的。」

「你就不能把要說的話都說出來嗎？總是這樣收起藏起，再逐點抖出來。」

「那太冗長，起碼要連續說個三天三夜，你行嗎？」

「……還是算了，我配合你的步伐吧。」

說罷，二人都笑了。

「好了，去找靈驛，匯報任務結果吧。」

「好。」符說罷，回頭視察水賊的情況，卻沒想到，他一見到那消散中的魂魄，竟感到一陣強烈的噁心，令符忍不住半跪地上。

「怎麼了？」于吉慌張地扶起符。

「不知為何……突然冒出想吃掉那水賊魂魄的想法，然後便覺得很噁心……」符緊繃著臉說道，額角青筋暴現，雙眼也隱約地閃爍紅光。

「果然，步伐太快不是好事。」于吉說：「而且，說不定比想像的還糟糕……」

浙江源起黟山，經千迴百轉，至東海而終。

江河與道，皆有靈流，令亡靈惡鬼不能久停，卻亦讓怨恨邪念乘風散播。

浙江之末，江水與汪洋的交界，數艘纏著錦帆的快船馳騁，圍堵一艘平實海船，快船上人馬個個身披錦繡，腰繫銅鈴。

快船逐步迫近，鈴聲叮叮噹噹作響，海船上人人驚慌失措。因為他們都聽過傳聞，那支惡貫滿盈的錦帆賊軍，其特徵正是掛錦帆、繫銅鈴。

只見錦帆賊們主船之上，一名衣著更為奢華的青年，徐徐步上船首，他頭戴孔雀翎，腰掛金鈴，背負箭筒，手挽長弓，威風凜凜，眼神卻異常渾濁。

那青年取出一箭，搭上長弓，拉——放！一氣呵成。

利箭破空，直取海船旗幟，此乃號令，江賊們隨令而上，瞬間登上海船，卻沒有立馬大開殺戒，而是玩弄船上護衛，粗言穢語，猥褻挑釁，引得對方忍不住出手，再立馬制伏。

然而，那挽弓青年卻仍屹立船首，呆望眼前景象，隱約有些暗啞飛灰從其身上飄散而出，其渾濁雙眼竟逐漸明亮。

「甘老大，怎麼還不上？」隨從問道。

「老、老子我在這做什麼？」甘老大仍呆望著前方。

「在劫船啊？」

「劫船？老子這一身武藝，是用來做這等低三下四之事的嗎？」

「那、那要叫兄弟們收手嗎？」

青年走回船艙：「隨你們，反正老子已厭倦，接下來要去做本該要做的大事。」

「大、大事？」

「老子來江東，本為秤秤那什麼鬼小霸王的斤兩，不知怎的竟當起了江賊，簡直鬼迷心竅。」青年揉著太陽穴説道。

「可是，那小霸王好像已經死翹翹了。」

「嘖，原來只是個小人物，浪費腳力，那……老子還是回家一趟吧。」

「回巴郡？」

「不是那個家，老家，南陽。去看看管荊州的傢伙是不是個人物。」

快船揚長而去，其餘江賊都陷入混亂，細想了一下，都跟著甘老大一同離去。

錦帆賊就此消聲匿跡，不久之後，卻有一支掛著錦帆的兵馬，名揚天下。

夕陽西下，又一天即將過去。

孫家大宅開始卸去靈堂布置，孫策的遺體亦準備封棺，入土為安，人們對他的印象，將逐漸淡去，然後，一切又會歸於尋常。

大小喬卻仍然抽離於喪禮之外，終日窩在房裡，忙於處理巫女工作，卻被一陣突然而來的靈流干擾了思緒。

「怎麼回事？這時間還有誰有餘暇聯絡我？」大喬雖疑惑，卻亦放下手中文書，靜下心來讀取靈流傳來的信息。

「任務完成？」大喬翻閱桌上的文書，以確認紀錄：「這新人的任務不是視察錢塘的惡靈嗎？剛到就說完成了？是偷懶麼？現在的新人搞什麼，工作都不認真做。」

「姐啊……你一幹活就變得既刻薄又喋喋不休了。」小喬笑道。

「總比你每時每刻都喋喋不休好。」

「嗚……幸好姐夫沒見到你這一面。」小喬吐了吐舌。

又有另一道信息傳來，這次是來自帶那新人的半仙。

「怕不是來道歉的吧？與其花時間道歉，不如好好管束下那新來的吧。」大喬無奈再次擱下工作，細讀信息。

小喬一邊假裝整理文書，一邊期待大喬的刻薄話語，但這次卻落空了，只見大喬一怔，雙眼睜得老大。

「怎麼了？不會是那新人被幹掉了吧？」小喬更加期待。
「幹、幹掉了……」
「什麼？還真的幹掉了？這麼狠？怎麼下手的？」小喬興奮起來。
「……是幹掉了錢塘那惡靈。」
「什麼嘛，無常收拾惡靈不是天經地義的嗎？有什麼好驚訝。」
「那惡靈可是有三十年修為啊！而那新人成為無常不過四、五天……」
「這般厲害？那不是很值得期待嗎？正好你人手短缺。」小喬已經不再關心這事，開始啃起瓜子。
但見大喬突然雙手掩臉，整個人發抖了起來。
「姐，你怎麼了？在哭嗎？為什麼哭啊？」小喬慌道。
「不……」大喬滿面通紅，愧疚道：「我剛才竟然那樣怪責新人，感覺好丟臉啊……」
「嗯？丟臉的地方在哪？」
「他如此盡責，還辦到我未吩咐之事，我卻出言不遜……」
「不過是手下而已，管他呢？」小喬說：「你是打算就這樣沉淪在丟臉中，不安排下一項任務給他嗎？」
「啊！對啊，下一個任務！」大喬小跑到掛著羊皮地圖的屏風前細看：「我看看，最需要人手的地方是……長安？嗯，太心急了，還是先去……荊州吧！」
只見地圖上插著十數根銀針，遍布大江南北，只是地圖上還有無數針孔，可見原本銀針之數不只如此。大喬將一根插在錢塘上的新針拔出，然後改插到荊南長沙之上。

霸王 五

江河壯闊，仍難與汪洋相比。

在接收新任務後，符和于吉便再乘上輕舟，向著一望無盡的大海前進。

「目的地不是荊南嗎？怎麼在往東走？」符問：「長沙不是在西南方嗎？」

「我們沿東海入長江，長江的靈流比其他江河都湍急，會比直接向西南走快好幾倍。」

「原來如此。」符説罷，撐著紙傘走向船邊，眺望遠方。

輕舟已來到出海口，在夕陽薰染下，金黃的大海於符面前舒展開來，鋪天蓋地，世界此刻彷彿只有海闊天空。符迎著海風展開雙臂，凌散的頭髮被吹得更加狂亂。

「喜歡海嗎？」于吉正坐在船中央，問道。

「對，雖然長江也很澎湃，但仍不及大海的氣勢。遊過大海，就感覺江河都有點偈促。」

「我倒覺得海很可怕，看上去隨時會將一切吞盡。」

「嘿，那只是你器量不夠。」

「那只是你沒見過海的喜怒無常。」

「我可是見識過夏天時南方的巨風。」

「哼，那你又見識過海水溢沒有？」

「海水溢？」

「就是海水溢到陸上，那才是真正的大海之怒。二百多年前的北海，就曾發生過一次，沿岸數百里之地都被大海吞沒，連河流都被同化，死傷更是數以十萬計。」

「你已經活了二百多歲了嗎？」

「這事我是……聽來的。」

符不無語，只能冷冷地瞪著于吉。

江河的靈流湍急，大海的靈流則是緩滯不前，像一道牆般，堵住了通向大海遠處的道路，不過符的目的地並非外海，所以沒有在意。

輕舟從浙江出東海，繞過了華亭後，來到長江的入海口。乘上長江的靈流後，船速加快了許多，讓二人也不敢輕易站起。只一夜時間，輕舟已由長江入海處，來到秣陵。

符習慣了靈流的速度，所以早就坐不住，挨在船邊，在晨曦的伴隨下，欣賞沿途風光，而來到秣陵後，他更是變得炯炯有神。

「于吉，你知道這地方嗎？」

「不就秣陵？有座石頭城的地方嘛。」

「不，終有一日，這裡會更名為——建業。」

「胡說八道。」

「此處據長江之險，地勢險要，又兼有江海之利，四通八達，可謂攻守俱備，是建功立業之寶地。」符道：「我曾數次帶仲謀他們到此視察，就是打算將這裡當成孫家爭天下的立足之地，甚至連名稱都改好，就叫建業。待仲謀坐穩當家之位後，必移師此處！」

「你如此相信孫權那小子？」于吉也來到了船邊，一覽秣陵地勢。

「當然。」

于吉淺笑一聲，便靜下心來，視察此地，卻見他神色逐漸興奮起來。

「怎麼了？」符訝異。

「你這小子，連風水之術都懂嗎？」

「不懂。」

「那你竟然還能選中這裡，真是不得了。」于吉亢奮地道：「這裡正是長江靈流的匯聚處啊！」

「什麼意思？」

「靈流的匯聚處，正是龍脈所在，龍蟠虎踞，是帝王之地！」

「是嗎？那真不錯。」符笑了笑，然後想到，此地再好，也已與他無關，不禁落寞。

輕舟飛馳，不一會已駛過秣陵，天色卻突然大變，烏雲密布，掩蓋了清晨的陽光，江水也突然變得湍急，並漸漸形成了漩渦。

「怎麼回事？天色怎麼說變就變？」符詫異。

于吉卻嚇得臉如死灰，張口半天也說不出半句話來。

只見漩渦中心竟冒出一人，他緩緩升起，身上卻沒沾上半滴江水，不如說，是江水在組成他的身軀。而在符的身旁，也憑空出現奇怪的樂聲，符隱約認出，是古時之楚歌。

江中人身長八尺餘，虎背熊腰，一頭銀髮宛如垂柳，面容剛毅，眉如刀，目光如炬，一身白服黑甲，還披著一襲閃爍異光的羽衣，在空中飄揚，威武異常。

「吾乃烏江水神，何方妖孽，敢來犯境？」

望著眼前的神人，符雙手微微發抖，卻不同於于吉的驚惶失措。

「在下無常之符，奉大司命之令，往荊南鎮邪逐惡！」

「汝為無常？那為何汝身懷邪靈濁氣？」水神雙唇未動，卻聲如洪鐘，話語直撼腦髓深處。

于吉被無形之聲震跌地上，他不安地望看符，卻仍是發不出半分聲響。

「恐怕是因為在下借怨恨之念速成胎光，才變成這般半無常半惡靈的狀態。」符平淡地道。

「原來汝早已自知。」

「因為這半仙總在掩飾什麼，所以我已慣於任何事都往最壞處想。」符苦笑道。
「那汝可知，此刻的最壞情況為何？」
「被水神大人打個灰飛煙滅？」符答：「不，神的話，應該能令人永不超生吧？」
「汝不怕？」
「怕，不過比起害怕，我現在更多的是期待。」符的聲線越來越高昂。
「期待什麼？」
「我在期待著，水神大人你的真身。」符已壓不下興奮的笑容。
水神微微一笑：「汝……不，你認為我會是誰？」
「霸王項羽。」符緊握雙拳。
「既是，亦非。」項羽笑意更濃：「不過，我已很久沒聽過這名號。」
符垂首，身上騰升出黑白兩道靈氣，纏繞全身，然後煉化成了一副白銀輕甲和一桿黑鐵長槍。
「在下孫伯符，懇求項前輩指教！」伯符揮起長槍，直指項羽。
「胡、胡鬧！胡鬧！胡鬧！胡鬧！胡鬧！胡鬧！胡鬧！」于吉終能開口，卻氣急敗壞得只能說出單一詞語。
「我明白，與神為敵有多麼不知天高地厚。」伯符凜然笑道：「可是，帝王千百，霸王唯此一人！我一直怨恨自己晚生數百年，無緣與西楚霸王一較高下，卻沒想到在陰錯陽差之下，竟凌駕時空，於此地遇上，若錯過了，還會有下次嗎？何況，當下是他在堵住我們。」

于吉啞口無言。

「不愧是江東小霸王，名不虛傳。」項羽說罷，徐徐降下，足立在江面之上，如履平地。

伯符細細觀察項羽的動作和靈力流向後，依樣畫葫蘆地將靈力散在腳掌四周，並迴旋成兩道小漩渦，然後縱身一躍，跳到江中，雖稍有踉蹌，卻總算立在水上。

「悟性不錯。」項羽說：「來。」

「不使兵器？」

「這要看你的能耐。」

「有理。」

話畢，伯符挺槍直刺，項羽向左挪身閃過。伯符卻乘槍勢未老，踏個回步，硬生生把刺出的槍勢改成橫揮，直取項羽胸膛。項羽看準長槍軌跡，豎起二指，向槍頭之末壓去，破壞長槍之勢。伯符恐其槍就此被制住，趕忙收槍，卻沒想到項羽藉他收槍之勢迫近，並將壓槍的雙指當作劍使，直刺伯符丹田。

伯符只得棄槍接招，左手格開項羽劍指，右手握拳，揮向項羽面門。項羽卻無視他的拳擊，將劍指轉為鷹爪，順著伯符左手纏上去，並鎖住他的關節，令其出拳姿勢受自身掣肘，無處發力。

項羽以為勝負已分，稍一放緩，卻被伯符覓得轉機，他不顧脫臼痛楚，硬把左手從項羽臂膀中抽出。項羽未料及此，本能發勁，將伯符左手骨頭都給捏個粉碎。

雖然廢了一臂，但伯符成功擺脫項羽。

「竟迫我使出神力，不錯。」項羽笑說：「來，我幫你治好手再繼續。」

「開玩笑嗎？」伯符雖也在笑，但聲線卻帶著慍怒：「難道你也會在陣前為韓信療傷？」

項羽收斂了意：「是我失言。」

項羽邁開雙腳，兩膝一沉，扎起馬步，然後攤開雙掌，左掌凝在面門前，右掌垂在丹田之下，是迎敵之勢。

伯符不顧殘臂劇痛，抖了抖身子，掂量身體重心，不一會便改了姿勢，身子一橫，微向前傾，廢掉的左手擋在身前，右手握拳藏在腰間，雙腿輕曲蓄勁，準備突進，是出擊之態。

兩人一動不動地瞪著對方，時間此刻就似凝結，烏雲仍遮蔽太陽，四周鳥獸也像被震懾，不敢鳴啼，連江水亦如靜止一般，波平如鏡。

雖然伯符連眼皮也不敢輕動，腦袋卻沒有閒下來，一直思考如何破敵，腦海裡已演練了無數次攻防，卻仍找不到破綻。他很清楚，自己無法一直全神貫注，維持態勢，時間拖得越久，對他越不利，最終，他只能在精神煥散前勉強出手，然後被輕易收拾。

所以，他在等。

等那烈日西沉，斜陽將烏雲染成晚霞的一刻。由於那烏雲為神力凝聚，只用於遮蔽太陽，恐怕是為了讓畏懼陽光的伯符可施展全力而設，所以不如自然烏雲般厚重，而且只積在兩人之上，並未延展至天際。

然而，伯符的定力將盡，太陽卻仍未穿過烏雲。

「礙事。」伯符説畢，便將手探入懷中，取出黑鐵短刀，項羽卻仍不為所動。

伯符刀起手落，廢掉的左手就此墮地。

此舉出乎項羽所料，他無法再保持平靜，並展露出至今最燦爛，又最恐怖的笑意。戰意彌漫，如狂風般席捲開去！項羽的馬步扎得更實，攤開的雙掌也握成拳頭。但他仍然冷靜，沒有貿然出手。

但，伯符的目的已經達到，斷臂的劇痛讓他煥散的精神再次集中，而且也拖延了一段時間，讓太陽再向西沉了少許，天色開始泛黃，太陽的尾端也終於越過了烏雲。

陽光從天空邊緣滲出，撒落在面西而立的伯符臉上，讓他幾乎睜不開眼。

就在伯符裝作被陽光干擾的一刻，項羽不自覺地放鬆了神經，禮節上也緩了緩，好讓伯符重整旗鼓。然而，伯符等的，就是此刻。

伯符沉下身子，直衝向項羽，就是一瞬的放鬆，使伯符比腦海演練中的極限，再多推進了兩步，而這兩步，足以令項羽進入伯符的攻擊範圍。

伯符揮出左爪，擊向項羽雙手之間，項羽不慌不忙，一手卸開，一手繼續守住下路，然後，他才發現自己的失策。

「哪來的左手？」項羽被伯符本應斷掉的左手勾住了目光，他凝神望去，才發現那左手確是斷掉了。

原來伯符衝來時，順道撿起斷去的左手，並用作聲東擊西。項羽想將目光放回伯符身上，但已太遲，伯符的右拳結結實實地揍在項羽臉上！

然而，即使是伯符的全力一擊，也不過讓項羽稍稍歪了頭。

「幹得不錯。」項羽欣慰地道。

「嗤，費盡心力，結果只摸到一拳嗎？」伯符的眼神既惶恐又期待。

「呵，你可是打了神明的臉，還不滿足嗎？」項羽高舉右手，然後一掌壓下，將伯符半個身子都埋入了黃土之中，然後徐徐説道：「連我都不曾打過其他神的臉，孫伯符，你説不定是千古第一人。」

但昏厥了的伯符，已聽不到項羽對他的讚許。

落日餘光消逝，晚色籠罩大地，是夜星光璀璨，卻難掩無月的寂寞。月的陰晴無常，常人卻只在她最充盈和最暗淡的一刻，才會察覺，然後抬頭，感嘆。

符緩緩張開雙眼，只見到一片遼闊的星空。

「嗚……我昏迷了多久？」符迷糊地自言自語。

當意識伸展至全身後，符才發現自己就那樣躺在江邊的石灘上，由於已非肉身，所以不故意去感受的話，就幾乎沒有被碎石頂住的痛楚。符掙扎地爬了起來，可是身體幾乎不受控制。

「該死，怎麼這感覺比活著時還難受？」符艱辛地穩住腳步：「這身體怎麼像被車裂過一樣？」

「說不定還真的四分五裂過，畢竟是魂魄。」符舒展雙手，然後才發現：「咦，我的手怎麼長回來了？」

符轉了轉脖子，然後望向四周。

「于吉？于老頭子？」符叫喚著，卻無人回應，於是他試試呼喊另一人：「項羽？項前輩？水神大人？」

「怎麼都不見了？」符嘗試走動：「不會是要解什麼謎，才知道發生過什麼事的考驗吧？」

不遠處傳來一陣拍翼的聲音，符望去，只見一隻灰色的鴉向自己飛來，並落在肩上。

「這灰鴉……怎麼長得有點像于吉？」符笑道，然後伸手去挑逗灰鴉。

「不必擔心，不會要你解謎的。」水神的聲線直傳入符的腦中。

「你怎麼變成鴉了，是要啄我嗎？」

「這鴉非我，與其說，不如讓你看看吧。」水神說畢，一陣柔光便籠罩了符，並漫延到整個石灘。

然後，符看到自己只餘下身在石灘上，嚇得馬上看了看自己，發現雙腳仍在，才放下心來。

「這是我剛昏倒後的情景？」

水神卻沒有回答，只是靜靜地負手，站在江邊，不，那水神的身影有些淡薄，是當時的水神。而于吉，則在符的身旁，向著水神五體投地。

「水、水神大人……請你饒過伯符這不知天高地厚的傻小子。」于吉哀求。

「放心吧，我沒想過要加害他，反倒還頗看好他。」水神仍然看著對岸：「而且你身為半仙，應該知道我稱自己為水神，還特地用這借來的項籍魂魄，不過是想嚇嚇那小小霸王而已。」

「若、若老夫沒猜錯，大人應是……」于吉顫抖地道：「……大司命大人？」

「不過百歲之魂，就別在我面前稱老了。而且看來你也修行得不到家，這樣竟然還能得到于吉的稱號，那些仙人真的墮落了。」祂說道：「在下區區司命，豈能與大司命大人相提並論。」

司命乃僅次於大、少司命的司命之神，負責處罰有罪的魂魄、仙人以至神明。

于吉一聽到司命的身分，反倒停止了顫抖，他徐徐抬頭，一臉凜然。

「看來你猜到我的真正目的了。」司命笑道。

于吉叩首：「請治小人以仙術為孫兒續命百日之罪。」

符怔住了。

「猜對了。」司命正色：「孫鍾，你既得于吉這半仙稱號，就應知我們大司命一門的規條，為凡人續命，是何等大罪？而你竟然還一口氣續了百日！」

符雙腿一軟，跪了下來：「孫……鍾？」

「小人只是想讓孫兒有機會抱抱他的嫡子。」孫鍾再叩首。

「理由感人，可惜，天命不可違。」

「小人知罪。」孫鍾繼續叩首。

「依據天條，行禽奴之刑，續命一日罰一年，共刑百年。」司命轉過身來，伸出右手：「你的魂魄將被封印在飛禽之內，作為無常信鳥，受奴役百年。」

只見一道彩光從司命的右手射出，灑在孫鍾身上，然後，他便慢慢轉化為一隻灰色的鴉，過程似乎相當痛苦，但孫鍾卻沒哼出半聲，他強忍痛楚，望向被埋到石灘中的伯符。

「抱歉……無法再陪你走下去，是我不好，才會害你們死了都不得解脫……」淚水在孫鍾的眼眸中打轉，卻始終忍住，沒有掉落下來：「再見了……策兒。」

柔光消散，石灘上只餘下符凄楚的身影。

符望向肩上的灰鴉，啞然地道：「爺爺……？」

孫鍾能強忍住的，伯符卻忍不住。

江水綿綿東逝，滔滔之勢懾人，卻都是由一去不回的一點一滴匯聚而成。

六

黃梅

——我還記得，小時候廬江的家裡，種著好幾株梅樹。每逢春天，都會散發著怡人的梅花香氣。而我不開心的時候，為了不讓人看到自己的哭臉，總喜歡躲在梅樹下，偷偷飲泣。

但只要爺爺在，就每次都能找到我。爺爺和嚴厲的父親不同，他不會安排老師來教導我們，也不會規定我們必須完成什麼課題，每次爺爺來探望我們時，都只會帶些瓜果蜜餞，在我們受不了老師的課時，用來安慰我們。

直到某天，爺爺被我們的父親、他的兒子，狠狠罵了一頓後，就再不能帶蜜餞過來了。不過，他還是會就地取材，在家中的園子，偷採些當造的果子給我們。

我還記得，那年夏天，爺爺找到偷哭的我後，就爬上梅樹，隨手摘了幾顆梅子給我。我討厭青梅的酸澀，但爺爺卻告訴我，梅子只會在未成熟的時候才酸，這時外皮是青青的，所以叫青梅，但當它熟透後，就會變黃，成為黃梅，那時，就會變得香甜可口。

我抗拒地嚐了一口，果然變甜了，讓我相當驚訝，於是我便問爺爺，為什麼人們總喜歡在梅子未熟的時候就摘來吃？他說，因為那些人都太心急，等不了，等待最是熬人。然後他又說，梅子就像人生，未成熟的時候，都是酸澀難耐，但隨著時間，慢慢成熟後，就會變得甘甜。

從那時起，黃色，就成為我心目中代表成熟的顏色。

還有，在我沉醉在黃梅甜美的那時，有一隻滿布瘀傷的手從我身後伸來，搶了我幾顆梅子，我氣沖沖地回頭，卻又馬上消了氣，並笑了出來。因為搶我梅子的，是我的大哥。他跟我說，他已經好好戲弄了老師一回，為我報仇，我笑得更開心了。

但現在，他們都離我而去，曾經看過我哭臉的人，都不在了，還是說，是因為他們見過我的哭臉，所以才會早逝？

在望著大哥的遺體那刻，我暗自起誓，絕不再在人前，流半滴眼淚——

銅鏡倒映著一個痛哭的十七歲少年。仲謀從回憶中抽身而出，抹了抹失控的眼淚，並調整心情，再度擺出那副往常的木訥口面，然後步出臥室。

「少主。」身穿素服，留著長鬚的張紘，在門外等候著仲謀。

「老師。」仲謀冷冷地回道。

「待會記得，不能在周瑜和張昭面前讓半步，這次談會，將決定你在他們心中的地位，是新主君，抑或是傀儡，都看你的表現。」

「知道了。」仲謀將雙手負在身後，挺胸收腹，肩上這不應由自己肩負的重擔。

「少主，你是臣所教過的學生中，最有機會能達成文臺夙願的一個。」

仲謀回過頭來，冷冷地看了張紘一眼，然後又繼續前行。

仲謀裝作冷靜，但凌亂的步伐卻出賣了他。他穿過庭園，看到數株屹立的梅樹，那是伯符特地從廬江舊居移植過來，花費甚鉅，仲謀也曾極力反對。但此刻，仲謀卻慶幸這些梅樹在此。他抬頭看去，梅子正在轉熟，青黃相夾，還泛著紅點。

仲謀望著梅子淺淺一笑，然後再度邁開步伐，沉穩踏實，徐疾有致。

「不知何時，我才能披上那一襲黃色？」仲謀喃喃自語。

「黃色？五德相生説嗎？當今漢室為火德，而火生土，土為黃……不愧是少主，但這話可不能在外亂説。」張紘欣慰地道。

牛頭不對馬嘴，仲謀如此想道，卻沒説出口。

仲謀在張紘陪同下來到書房。書房裡除了張昭和周瑜外，還有仲謀的兩位弟弟，叔弼和季佐，不知是被誰叫來，但似乎未有提早知會，所以二人都稍顯緊張拘謹。

周瑜在主席上正坐，緊閉相目，靜候來人。

「周瑜，那是你的位置嗎？」張昭平靜地問道。

「張公，沒關係。」仲謀説畢，便開始繞著眾人慢步一圈，讓榻席上的眾人都處在他的步圈之內，然後徐徐説道：「開始吧。」

「應對不錯。」公瑾淺笑了一聲，説道：「但別誤會，我並非試探你，我坐於此，只因這是伯符的位置。」

「兄長已入土為安。」

「但他的功業尚在，我亦尚在。」

仲謀停下步伐，冷冷地望著公瑾，而公瑾也張開雙眸，眼神熾燙如火。

「還要試探多久？有話就直說吧。」張昭開始按捺不住，但他的聲線仍然平靜如水。

「仲謀，你現在是名義上的當家。」公瑾無視張昭，繼續挑釁仲謀：「那你接下來有何打算？」

仲謀深吸一口氣，表情變得更加冷漠，卻又多了好幾分專注，他平緩地述說：「當今天下，並無哪一家鶴立雞群，即使是勢力最大的袁紹，也正和曹操鬥得難分難解，就算取勝，亦將元氣大傷，何況周邊一眾諸侯，無一不對天子所在的許昌虎視眈眈，起碼要十年，才會再有勢力積夠吞食天下的本錢，亦即是說，我們將有七、八年餘裕。」

「那這七、八年，你打算怎麼過？悠閒地呆著？」公瑾笑問。

「掃蕩江東。」

「江東早就被伯符征服了。」

「所以江東的一眾，無論官吏、將士還是土豪望族，都只臣服於兄長一人。」仲謀走到侍衛身旁：「而我要掃蕩的，就是那些想乘機作亂之輩。」

「呵，那你要怎麼對付他們？」

「幼平。」仲謀向身側攤開右掌。

一名滿身刀疤的侍衛應聲遞上一把利劍，仲謀接過，然後俐落拔劍，迅即刺向公瑾。雖然這一刺故意刺偏，卻全無留手之意，劍鋒劃破公瑾的頸項，雖然傷口不深，但鮮血仍隨著劍刃緩緩流出。

仲謀這一劍，嚇倒在場公瑾以外的所有人，書房變得鴉雀無聲。

須臾，仲謀才回答公瑾方才那道問題：「斬。」

「你要再度挑起江東的戰火……是為了什麼？」公瑾問。

「因為兄長的功業尚在，我亦尚在。」

公瑾淡然一笑，説道：「我自會盡忠職守，少主你也好自為之，別讓伯符失望。」

「當然。」仲謀收劍並交回周泰。

「少主雖然有心殺賊，但有何良策？」

「對臣，用刑；對將，用兵；至於對土豪士族，則以江東四大家族制衡之。」仲謀答道。

「江東四大家族？」張昭奇道：「江東豪族雖眾，老夫卻從未聽過什麼四大家族。」

公瑾代答：「現在沒有，不代表往後沒有。」

張昭和張紘馬上意會，無不露出驚訝神色，叔弼則一頭霧水，而季佐仍是那副拘謹的姿態。

在細議過四大家族之策後，天色已晚，集議只好先結束，來日再續。

公瑾率先離開，然後是張紘，接著是季佐和叔弼，張昭則仍坐在席上，細察仲謀，面露喜色，仲謀亦放下那副冷漠神情，回復平常的木訥。

「沒想到少主你已能壓住周瑜，實在令人欽佩。」張昭欣慰地道。

「他手下留情而已。」仲謀說。

張昭站起身來，準備離去：「實在難以想像，剛才的少主和喪禮時常常遛開偷哭的，是同一人。」

「你……看到我哭了？」

「哈哈，哭是人之常情。」張昭笑著離去。

仲謀徐徐回身，用冰冷的眼神目送張昭。

烈日張狂，暑氣漸盛。大喬不安地窗邊踱步，時而望向屏風上的地圖，時而望天邊，然後嘆息一聲，之後又繼續繞著窗來回走著，似乎沒注意衣襟都被汗水沾濕。

「姐，你在幹什麼？」小喬探頭問道。

「小喬，你回來了啊。」

因為公瑾決定留在吳郡輔政，所以小喬便帶了些下人，到公瑾之前鎮守的巴丘收拾行裝。

「我在等那新丁無常的消息。」大喬答道。

「果然又是公事呢。」小喬失望，然後再問：「他怎麼了？」

「已經大半個月沒音信。」

「你擔心他？」

「當然。」

小喬雙目放光，卻又隨即黯然，說道：「難道……是擔心他完成不了任務？」

「對啊。」

「唉……」小喬扶額，無力地說：「到現在還期望姐你情竇初開，我真是個笨蛋呢……」

「情竇？」大喬疑惑：「兒子都有了，還說什麼情竇初開呢？」

「那你喜歡姐夫嗎？」

大喬用力思考，卻得不出答案。

「看。」

「那、那只是因為我不懂什麼是喜歡而已。」

「這就叫情竇未開呀。」小喬得意地道。

大喬氣得雙頰泛紅：「那你又知道什麼叫喜歡嗎？」

「當然。」小喬挺起胸膛，自豪地說。

「原來你和妹夫感情變好了？」大喬單純地問。

「呃？」小喬一驚，氣急地道：「才、才沒有啊，那種強盜流氓，我喜歡的人……啊，是個樂師！那樂師可厲害呢，就算邊喝酒邊和人聊天，但只要別人彈的曲有誤，他都能立馬指出來啊！而且他雖然外表冷酷，但內心卻很溫柔……早前他兄弟，不，親人過世了，他那模樣……總之，就不是當初搶我們當妻子的那兩個大小流氓可相比的。」

「可是……這不是外遇嗎？」

「呃！」小喬面色鐵青：「才、才不是呢……但你別跟人說啊！」

「知道了。」

小喬舒了一口氣，然後馬上轉移話題：「你擔心那無常的話，怎麼不派小黑鴿去找呢？」

「早就派了，可是不知道他在哪，所以要花點時間。」大喬說。

然後兩姊妹默契地同靜了下來，一個開始燒水，一個張羅糕點蜜餞。大喬喝了口熱蜜水，拿起顆蜜漬梅，望著梅子入神了。

「怎麼了？」

「夫君喜歡吃梅子，卻只吃青梅，不嚐黃梅和蜜漬過的……真是怪人。」

「你想他了嗎？」

「想起他了。」

小喬再次失望，然後不經意地問：「那些黃梅、蜜餞都給誰吃了？他二弟？聽說他最喜歡吃黃梅。」

「不，都給我吃了。」大喬嚐了一口甜膩的梅。

「那姐夫對你不錯嘛。」

「為什麼？只不過是他不吃的東西。」

「哪會有人討厭甜食呢？他只是找個理由讓給你吃。」小喬也拿了顆梅，然後整顆放進嘴裡，露出幸福的表情。

「也對呢……」大喬垂頭道：「我總是察覺不到這些……」

「所以我才擔心你。」小喬邊含著梅，邊含糊地說。

大喬望向窗外，發現飛鳥掠過，卻非黑鴿，於是心思又再飛到遠方，那不知所蹤的新丁無常。

千里之外，長江旁的石灘上，符仍處在司命的柔光之中，圍繞著符的景象逐漸消逝，最後，只餘下一片朦朧的白，或者說，一無所有，整個世界就只餘下符和淚。

「說起來，我都沒好好聽過他說話，不……我根本就從沒認真傾聽過別人說的半句話，難怪我什麼都不知道。」

很快，淚乾了，連僅餘的痕跡，也被衣袖拭去。然後，符呆坐了好一會，便又再露出往常的淺笑。

「想這些又有何用？先做好自己本分吧。」符向前方問道：「司命大人，你還留我在這，是否有話要說？」

一團金黃色的光霞，聚在符前，然後再度化身成項羽，笑問：「哭完了嗎？」

「抱歉，浪費了大人的時間。」

「反正時間對神明來説沒有意義。」

「還有什麼事呢？」符雙手環抱地問。

「是你仍有事想問吧。」

「……神明會讀心？」

「因為你在我的領域內。」司命道：「你下一句想説的是：『那和全裸站在你面前有什麼分別？』」

「那和……」符嘆息了一聲，然後説道：「那告訴我吧，做無常累積的功德，是否可抵銷罪孽？」

「可以，但十年功德方能抵去一年罪孽。」司命説道：「即是，要讓孫鍾回復原狀，需得累積千年功德。」

「至於功德的算法，則視乎你超度的亡魂有多少年修為。至於你方才超度的那亡魂，雖然有三十年修為，卻因為你未化解其冤氣，所以功過相抵，如此算來，需時甚久。」

符本想開口問話，但司命已早一步解答，然後再道：「你下一句……不，這話還是留給你自己説吧。」

「……好吧。」符苦笑後説道：「反正，時間對死者來説也沒有意義。」

司命淡然一笑，既像嘲諷又似欣慰。柔光漸漸轉暗，符的周圍亦從虛無的白，變成混沌的灰，再變成無盡的黑。

然後，符回到本來的石灘。

「呼……總算有了個繼續存在的理由。」符意味深長地說道，然後開始逗弄肩上的灰鴉，只見灰鴉抖了抖翅膀，卻沒有反抗，任由符撫摸自己。

「這反應真不像是個已當爺爺的人。」符笑說：「但爺爺你的靈魂應該在看著吧？就等你變回原形時好好羞恥一番吧，哈哈！」

符和灰鴉鬧了一會後便準備起行，繼續無常之旅。他走到江邊，準備煉出木筏，卻發現靈氣運不上來。

「難道之前的氣煉，靠的都是冤靈那部分的力量嗎？」符冒汗：「可是沒船怎到長沙？難道要用走？」

符再試了試凝神氣煉，卻還是一無所得。

「唉……看來只能依正途。」

於是符便開始運氣修行，但不消一會，便感到就這樣站著不太舒服，於是坐了下來，然後再過半天，又覺得坐著也很費勁，便躺著。這一躺，不知過了多少晝夜。

符開始無聊，便讓靈氣向外滲透，感知周遭一切，然後，他發現長江的對岸，有個亡靈正向自己走來。

那亡靈花了好一會功夫才跨過長江，來到符身旁，觀察了會，才問道：「你還好嗎？在這幹什麼呢？」

「我在練功。」符躺著答道。

「原來如此。」

符心想，難得認清自己從未認真傾聽別人說話的這缺點，就應當改進，所以不能讓話題就此結束，於是生硬地反問：「那你呢？」

「來看你是否出了什麼事。」

「啊……謝謝你。」

「不客氣。」

然後，沉默又回來了，還伴隨尷尬。

「嗯……對了，你是怎麼死的？」符勉強延續話題。

「啊……我算是被吃掉而死吧？」

「被吃掉嗎？不過在這年代也不稀奇。」

「沒錯……那你？」

「呃……姑且算是中箭而死。」

「這樣啊……中箭，痛嗎？」

「還好，應該比不上你。」

「也對。」

「嗯……你是冤靈？」

「不，我這種狀態好像叫倀。」

「倀是什麼？」

「就是為惡鬼作幫兇的亡魂。」

「這樣啊……那你想輪迴嗎？想逃離惡鬼的操縱嗎？」

「那惡鬼就是我爹……我生前沒有好好照顧他，所以希望死後能好好盡孝，等他輪迴了我再走。」

「父親嗎……」符感慨地頓了頓：「我理解。」

倀笑了笑，然後說：「既然你沒事，我就先走了。」

「好……啊，對了，既然你是倀，為什麼會來關心我？」符終於坐起來。

「畢竟有無常在附近出事的話，會惹來不得了的人，要是查到我們地盤來，那可不好辦。」倀苦笑。

符也無奈地笑了：「這樣啊，那……再見了。」

倀揮了揮手，便往回走去。

「對了，我叫符，無常之符。」符站起來。

「我叫陸儁，倀之陸儁。」陸儁回頭答道，然後繼續前行，待他完全跨過江後，符又再躺了回去。

「呼……傾聽別人的說話果然很累，但我算做得不錯吧？」「陸儁……」「等等，那豈不是陸康之子？」符彈了起來，望向對岸，卻已不見陸儁蹤影。

「那個被我害死了一半男丁的陸家嗎……如果陸康成為了惡鬼，那似乎只有我能超度他。」符凝重地道。

「不過那都後話，繼續練功。」符再躺了回去。

日月不斷交替，不斷錯過，但仍有相遇的機會。

此時剛過中午，太陽微微西傾，而弦月也現身，掛在東方，兩者似是遙遙守望彼此，卻不敢靠近。

然後，一隻黑色的飛鳥由東方而來，向西而去，在太陽和月亮之間，劃出一道短暫的線。牠似乎發現了什麼，便不再向西，而是回了個彎，向符而來。

符細看，才發現那黑色的鳥竟是一隻鴿，腳上似乎還綁著信。

鸚鵡

七

黑鴿徐徐降下，符見牠是向自己而來，便伸手迎接。黑鴿果真落到符掌心上，然後望一望符，再望向綁在自己腳上的信。

「給我的？」符取過信來，只見上面寫了四個紙：「報告行蹤」。

符皺了皺眉：「既然能寫信，為什麼要用靈脈通信那種不清不楚的方法？」

「而且這信是什麼意思？」符不滿地搧著信紙：「就四個字，這靈巫也太沒禮貌了吧？雖然我的確失去音信好一段時間，但說不定是發生意外。不，是真的發生意外，連于吉都變成飛禽了！可這靈巫什麼都不關心，就叫我報告行蹤？豈有此理，看我不回信臭罵你一頓。」

符打算煉出紙筆，靈力卻仍不足，於是四處張望，看看有沒有替代品。但周圍就只有石頭和江水，他無奈地改為搜索自身，不過他在生前也沒有隨身攜筆的習慣，何況死後？而且單有筆亦沒用，還需要墨，活著時尚能滴血作墨，但現在呢？

不抱希望的符，摸了摸自己的胸膛，發現一把短硬之物，是于吉，不，是爺爺孫鍾所贈的黑鐵短刀。

符手執短刀，打算在信紙上刮幾個字以作回覆，卻沒想到，刀尖碰到信紙之際，竟如火燒般烙出一個小黑點。

「這信紙也是用靈力煉出來的？」符再在紙上劃了幾刀，感覺比毛筆還順暢：「那我可以暢所欲言！」

符將對靈巫的不滿盡數刻在紙上，登時大感痛快，想將信綁回黑鴿腳上時，卻發現牠早已飛走，那黑色身影正向東飛，漸漸變淡。

「那我怎麼回信啊？」符焦急地道。

符肩上的灰鴉啄了啄他。

「對啊，還有你！」

於是，符便將回信綁到灰鴉腳上，再讓牠跟著那黑鴿飛去。

「呼……總算能回信了，否則就白白浪費了我的傑作。」符不懷好意地笑道。

符心目中的靈巫，是個身穿素服，留著長鬚的中年人模樣，那是他生平第二討厭之人的造型，所以他回信毫不留情，只是他萬萬沒想到，這靈巫是位女性，而且還是他認識的人。

「不過，既然都來信催我了，那也不能再乾躺著，只好出發了。」

夕陽西下，餘暉盡斂，天色一片幽黑，卻仍有一道微光，指引著符，那是靈脈的光芒，只有接近靈驛時，才會這般清晰可見。

符向著微光的方向前進，不一會已來到靈驛，這裡的靈驛是一株千年古樹。壯碩的軀幹，恍若支撐住半片樹林，靈脈的光芒都聚在樹幹之內，而樹幹上，剛好有數個樹洞，探手就可觸及靈脈，以發送通信，但符心想既已回信，就不必多此一舉。

符特意繞來靈驛，不為匯報，而是希望借助靈脈力量來氣煉，哪怕只有一塊爛木板也好，起碼可讓他乘上長江靈流，早一步去到長沙。於是，他便挨著樹幹，一手探洞，一手氣煉。

此時，一隻色彩鮮豔的奇異怪鳥從樹梢飛下來，落到符的身前，瞪著符。

「怎麼這些怪鳥都喜歡瞪著我？」符無奈地道。

「怕不是你好事多為，惹那些鳥不高興。」奇鳥以嘲諷的口吻説道。

「這次的還會説話啊……」符先是感嘆，然後慎重地問：「等等，你不會又是哪路的神仙大人吧？」

「鸚鵡就只是隻鸚鵡，既非神仙，亦非大人，但自問不下他們。」

「鸚鵡？那你找我又有何貴幹？」

「找你？太看得起自己了吧？我正在遊歷四海，剛巧找到株好樹，打算好好地睡他一覺，卻被你跑來擾人清夢，我才要問你有何貴幹。」

「原來如此，抱歉。我是來借靈脈之力一用，看能否氣煉艘船出來的。」

鸚鵡怔了怔，然後才問：「氣煉？什麼東西？」

「你不是不下神仙的嗎？」符失禮地笑道：「氣煉就是……呃，該怎麼說？就是類似用靈氣來煉成物件的能力？」

「靈氣還能這樣用？」鸚鵡說畢，張出一翅，凝聚靈力，然後，彩霞浮現，一艘小巧精緻的帆船，就此憑空生出。

「厲害！竟然一下子就氣煉出來！」

「哼，不過是小事一樁。」鸚鵡囂張地道：「來，你不是要船嗎？送你。」

「謝謝，可惜這船太小了⋯⋯」符接過船，詫道：「嗯？這船怎麼這麼輕？」

「畢竟只是蜃樓而已。」

「蜃樓？」符輕輕一握，船就化為輕煙：「啊⋯⋯還以為你這麼快掌握到氣煉。」

「這不算氣煉？」

「氣煉之物是這樣的。」符抽出黑鐵短刀，敲了兩敲，刀身發出清脆響聲。

鸚鵡瞪大雙眼，冠都豎了起來，驚喜說道：「魂魄的世界真有趣！」

「我倒覺得一頭霧水。」

「那只是你未能擺脫肉體的束縛罷了，你不覺得魂魄的世界比肉體的世界更接近道嗎？」

「道？」

「道可道，非常道。」

「抱歉，我不信教。」

「唉，俗人，這道是指世界之本，萬物之理，難道你不好奇這世界的本真？我們為什麼會存在，又為了什麼而存在之類？」鸚鵡搧著雙翼說道。
「我只在乎眼前。」符聳肩。
「所以你們的世界才如此狹窄。」鸚鵡遠眺北方。
「畢竟我不像你，沒有自在翱翔的翅膀。」符也順著鸚鵡的目光望去：「更何況，我由出生開始就已受到束縛，限制了眼界，至今仍未能掙脫。」
「是什麼束縛著你？」鸚鵡將目光放回符身上。
「讓我存在於世的人。」符苦笑。
「父之於子，當有何親？論其本意，實為情欲發耳。子之於母，亦復奚為？譬如寄物甕中，出則離矣。」鸚鵡引用道。
符一臉糊塗，鸚鵡見狀露出了寂寞的神色。須臾，符又變成一副恍然大悟的樣子，讚嘆道：「真是新奇的想法，我從未這樣想過……」
鸚鵡笑了笑，然後喃喃自語：「文舉大兒，還是有人能理解我們的嘛。」
「對了，你不是死了麼，為什麼仍受父母束縛？」鸚鵡問。
「因為我曾經過的，以及將要前往的路途，都滿布那人的痕跡。」符把玩著短刀，冷冷地道：「恐怕是有人蓄意安排，是要我認識那人的真貌？還是超越那人？甚或……不清楚，但我認為繼續走下去，總會遇上他。」
「有趣。」
「我的經歷？」
「你本身。」

符笑了。

「說起來，你不是要煉木渡江嗎？」鸚鵡用翼尖敲了敲樹身：「樹本身也有靈魂，取其出來，是否可用？」

「我倒沒想過。」

「你們就是少了這份好奇，才總鑽牛角尖。」鸚鵡苦笑道：「趕緊去試吧。」

於是，符便將手放在樹幹上，稍稍凝神，集中靈氣在手上，再一把抓出，還真的抓取了樹木的靈魂出來，雖然只有一部分，卻足以乘載符。而被取出魂魄的樹，馬上枯了部分枝葉。

「成功了！」符興奮地道：「謝謝你！」

「不必，我只是在炫耀智慧而已。」

「那我要出發了，免得又被靈巫罵。」

「靈巫？又是什麼？」

「算是我們這些無常的上司？我也不太清楚。」

「你什麼都不知道呢。」鸚鵡不滿地道。

「畢竟我的引路人被神明大人變成了飛禽。」

「有趣。」

「我的經歷？」

「這個世界。」鸚鵡笑道。

符也跟著笑了，然後問道：「對了，你有名字嗎？」

「正平。」

「真正經的名字。」

「那你呢？」

「符，無常之符。」

鸚鵡望了望符嘴角的箭疤，然後嗯了一聲。

「好啦，我真要走了，有緣再會！」符邁開步伐。

「只要你夠有趣，那就一定會再相遇。」鸚鵡目送著符的背影說道。

一夜又將過去，晨光從東方滲出，昏暗的天色開始被染亮。

陽光撒在鸚鵡身上，化為絲絲輕煙，纏繞在身邊的蜃樓亦隨之化去，鸚鵡變回他原本姿態，披頭散髮，袒胸露臂，神情不可一世的青年。

「那接下來，就去江東看看吧。」

旭日初升，晨光穿過窗櫺，灑在掛在屏風羊皮地圖上，圖上滿是針孔，卻僅餘幾枚零星銀針，都已暗啞無光，只有一根新針仍披著光澤，歪斜地刺在荊南長沙附近。

陽光落到那銀針上，折射一縷光絲到屏風前的木几上，隨著太陽的軌跡，徐徐前進，穿過平緩的桌面，攀上一座桃紅色的絲綢山脈，從手肘，越過上臂，落到一幅蒼白的面頰上，在泛藍的嘴角旁，烙下了一道小小的印記。

大喬被那微弱的陽光燙醒了，她一邊輕撫發熱的嘴角，一邊發出奇怪卻又軟弱的叫聲。

那件披在她身上的桃紅色大衣緩緩滑落，大喬以為又是伯符怕她著涼而加的衣，但她趴在几上，無神地瞪著那大衣好一會，才發覺這顏色似乎嬌艷了些。再過一會，醒多兩分，她才想起伯符已經不在。

但大喬並不悲傷。她緩緩坐直身子，左看看，右望望，發現房裡無人，倒是泛起一絲孤寂。

她再呆了一會，又醒多三分，揉了揉臉，甩了甩亂髮，然後艱辛地站起來。

「讓我想想……先要做什麼？」大喬伸展著雙臂，打了個有點失禮的呵欠，才終於清醒過來：「對啊，要去看看紹兒，然後要去陪奶奶吃早飯……」

大喬小跑著出房門，口裡卻仍在抱怨：「嗚……還想睡……」

腳步聲漸漸遠離空房，但沒過多久，又傳來急促的步伐。

「衣服又沒髒……」大喬有氣無力地說道。

「不行，怎可以不梳洗就出門？姐你真是太可怕了，幸好我來早一步，截住你了，否則就算吳夫人不介意，其他人也要笑話你。」小喬用力地將大喬推回房中。

迫於無奈，大喬只好就範，用下人一早端來的水梳洗，小喬本也想幫忙，卻發現自己好意為大喬披上的大衣，就那樣被丟在地上，就生氣了，要大喬獨自更衣。但大喬卻不知道小喬為何生氣，只覺得莫名其妙。

大喬慵懶地更衣時，聽到窗外傳出清脆的鳥啼，那是小黑鴿的叫聲，大喬不管衣服只穿了一半，就那樣跑到窗邊，嚇了小喬一跳，但小喬也明白大喬一遇上工作的事，就無法制止，所以只好再將那桃紅色大衣披到大喬身上。

大喬打開窗戶，一黑一灰兩隻禽鳥隨即飛入房內。

「怎麼會有兩隻？」小喬詫異地望向大喬，但大喬也是一臉茫然。

「不知道，可能是小黑鴿招惹回來的吧？」大喬雖然也覺得莫名其妙，卻並不關心灰鴉來歷，她只想知道任務進度，於是馬上伸手向小黑鴿，指尖才剛碰到羽毛，黑鴿已碎散為無數光點，回歸大喬身上。

「如何？找到那新丁嗎？」小喬問。

「找到了，也平安了，但不知為何靈力變弱了？」大喬閉上眼，感受黑鴿帶回來的靈脈波動：「而且，也感受不到于吉的靈氣，還有……那附近還有神明殘餘的氣息……」

「不會吧？那新丁招惹到哪路神仙了？」

「不知道，但似乎已過去，他也重新上路，那就沒關係了。」大喬冷淡地說道。

「怎會沒關係……」小喬無奈垂頭，目光剛好落在灰鴉身上，並發現牠的腳上縛著張紙：「這是什麼東西？」

大喬俐落地解了下來，說道：「這不是我的信紙嗎？」

信紙攤開，布滿密密麻麻的字。

「怎麼回事？回信報告嗎？」小喬問。

「不知道，我也是第一次收到回信，先看看寫了什麼……」

「混帳靈巫——」大喬讀出信的內容。

「怎麼回事？第一句就罵人，那新丁好大膽啊！」小喬氣道。

「罵人？罵誰？」

小喬的怒氣都被沖走了，她輕嘆一聲，才說：「誰是他的靈巫，他就罵誰……」

「那不是我嗎？為什麼要罵我？」大喬笑道：「不過能回信，對任務很有幫助！」

「被人罵還笑……你這人沒救了。」小喬再嘆一聲。

八 區星

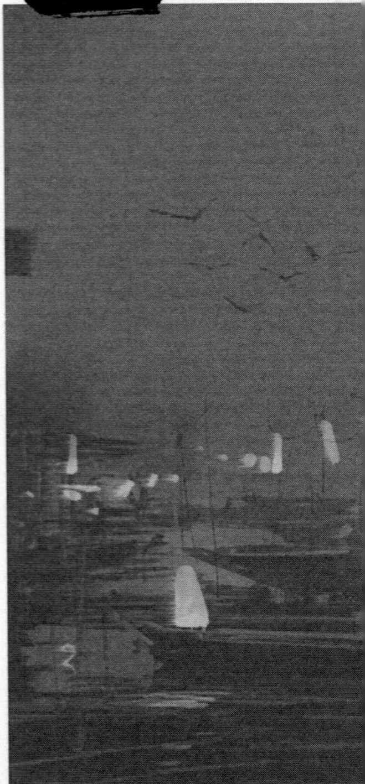

湘水拍打木魄，搖晃著那不知好歹的乘客。但符卻漫不經心，時而望望遠方，時而看看手上，那已經不知看了多少回的信。

符看過信後，又再羞愧地掩著臉，過一會，才再遠眺前方，好整理思緒。

「唉……我竟然不問清楚，就寫信去怪責靈巫，感覺好丟臉啊……」符說道。

然後，他又再看了看手上那封信，只見信上寫著十個字，越後的字，痕跡越淡：

「幸君安好靈乏難書望恕」。

「所以才每次都只寫幾個字，真是怪錯他了。」符又再陷入羞愧的輪迴。

再經歷幾次輪迴，符方停息，卻非因走出羞愧，而是感覺到，任務目標的靈氣。

「呼……終於到了嗎？」符望向靈力傳來的前方：「再困在這木魄上，我就要因羞愧而死了。」

符不等木魄靠岸，就一躍而起想跳向岸邊，卻力量不足半路下墜，他本想如之前般立在水面上，卻也因為集中不了而失敗，就這樣直接掉下水裡。

須臾，符終於從水裡走出來：「真是奇觀，竟能水底漫步。」

驚嘆過後，符便繼續向目的地前進。無常感應到目標亡靈所在，是多得靈巫的祖傳銀針，但箇中原理，卻連靈巫本人都不清楚，傳聞道是仙人煉製的法寶。

天色漸暗，因道行不足而畏懼陽光的遊魂野鬼，都開始出沒。往時，因為于吉這半仙在，遊魂野鬼都會爭相走避，但現在于吉成了灰鴉，符的靈力又大減，那些亡魂都肆無忌憚地現身。但符卻覺得，這些因各種理由而逝的亡魂，比喋喋不休的于吉老頭有趣得多。

由於這些亡魂恨意不高，因此無法保存意識，行為單調，多半是重複生前的各種行徑。符所走的這段路，曾是耕地，但現在只是片荒野，零星散落腐化的殘骸，說不定就是那些忙著耕耘的亡魂的遺體。

符好奇地擋在其中一個農夫亡魂前，對方卻毫不理會，像是繞過礙事的石頭般繞過符，然後繼續幹活。符覺得不過癮，還推了農夫一把，他踉蹌一下，然後繼續勤懇地作活。不一會，符的興致已消，然後才想起自己在趕路。

夜色漸深，路上卻越來越熱鬧，除了亡魂，夜行的鳥獸亦出沒，牠們似乎能看到亡魂，卻各不相犯，倒是在人世甚少見這般人獸同行的情景。

一路上趣味盎然，再加上這次的目標沒有惡靈常有的惡臭，所以降低符的警覺，等他發現目標時，距離已相當接近，只有二、三十步之遙。這是極大失策，若對方已發現自己，這距離足讓對方施展突襲。

然而，一切仍然風平浪靜，於是符馬上躲到樹後以觀察狀況，卻沒想到，對方竟然直接呼喚自己。

「兄弟！好久不見！這麼巧，你也死了？」符的目標提起嗓子，興奮喊道：「怎麼躲起來了？」

符感到莫名其妙，為什麼那人會叫自己兄弟？但畢竟自己行蹤已露，躲起來也無用，徒添難堪，於是現身，面對對手。

那人五短三粗，頭大面方，眼細唇厚，髮短而起伏，像被野狗啃過般，單憑外表，實在不像厲害人物。

「兄弟，你來幫忙的？」那人笑得真摯燦爛，讓猥瑣的形容討好了不少：「你怎麼又變年輕了？」

「為什麼叫我兄弟？我認識你？」符沒有被那笑容影響，反而更添幾分警覺：「你是誰？」

「是我啊！你忘了我嗎？」那人不安地揮舞短小的雙手：「長沙將軍區星啊！」

去你的，又是與老爸有關的人，符如此想著，然後回道：「你認錯人了。」

「是嗎？」區星瞇起雙眼，用力瞪著符：「的確有些不同。」

「抱歉，你長得很像我的一個兄弟，所以弄錯了。」區星鞠躬作揖：「對了，小兄弟高姓大名？」

「符，無常之符。」符不自覺地擺起架勢。

「無常？就是斬妖除魔的無常鬼差？」

「不不不，搞錯了，我們只負責處理遊魂野鬼。」符解釋，架勢也稍稍鬆懈。

「哈哈，抱歉，我沒讀過書，所以不清楚這些。」

區星爽朗的性格讓符頗有好感，態度也放軟了。

「負責對付遊魂野鬼的話，那說不定更合適！」區星自言自語後便轉過身去，來到崖邊，並向符招手道：「來來來，你過來看看。」

符走過去，順著區星的指示看去，發現山下荒地上，聚集了過百亡魂，竟都披著泥黃色披肩。

「怎麼回事？」符訝異：「怎會有如此多野鬼聚在一起？」

「不知道。他們大概半個月前出現，最初只有十數人，然後每天多十數人匯合，定是有什麼陰謀！」區星緊握拳頭，激動地說道。

「這半個月你一直在監視他們？」

「對。」

「為什麼？」

「因為我乃長沙將軍！」區星笑道。

符卻不解，歪著頭，疑惑地望著區星。

「我既是長沙將軍，就有責任守護長沙。」

「可這將軍稱號不是你自封的嗎？」

「將軍是自封的不假，但長沙這家鄉卻是天賜的。」

「可你都死了。」

「那又怎樣？」

「世事已和你無關。」

「有沒有關係，非在於身分，而是在於心。」區星拍了拍胸膛。

符頓了頓，然後才再笑道：「可你連心都沒有了。」

區星哈哈大笑，須臾才說道：「總之，我不會放過在我家鄉作惡的人，無論他是誰，亦無論我是生是死。」

「大叔好氣概！那你打算怎麼對付這些黃肩野鬼？」

「等幫手。」

符笑了。

符留在此地，一邊監視黃肩野鬼，一邊和區星胡吹亂扯，笑聲不絕。

不知不覺間，群星逐漸暗淡，天色開始發白，但晨光卻遲遲不現，厚重的烏雲掩蓋天際，縱使太陽高懸，卻難覓蹤影。

然後，一股惡臭突然從山下傳來，不，是兩股。

符馬上眺望遠方，又有數十個黃肩野鬼出現，並扛著兩頂木轎。

「看來頭目出現了。」符冷冷地說道：「一次過來三個目標嗎？」

「三個？」區星疑惑：「不是只有兩頂轎嗎？」

符望著區星，卻不說話。

「怎麼了？」

「說起來，我們雖然胡扯了整晚，卻不知道為何過了十三年，你仍然陰魂不散。」符笑問：「星叔你有什麼未了心願？」

區星一怔，陷入了沉思。

「答應我，待我把將這班黃肩野鬼收拾後，就好好地輪迴。」符抽出黑鐵短刀，旋了兩圈，再緊緊反握著。

「他們可是有上百人啊！而且還不知轎裡的是何方神聖，單憑你一個要如何應付？」

「我何時說過要憑一己之力？」符望著區星：「眼前不是還有個長沙將軍嗎？」

區星先是呆若木雞，然後漸漸露出笑容，卻也隨即閃出恐懼：「可是，就算加上我，也只有兩人。」

「足夠了。而且依我推斷，轎裡的不是難搞的對手。」

「你怎麼知道？」

「因為高手大都騎馬出場。」符說：「說不定我也該去搞匹馬的魂魄。」

區星揉了揉太陽穴，似乎是感到頭痛，然後問道：「那你打算怎麼辦？正面殺進去？」

符一言不發地望著區星，眼中盡是不屑的神色。

「怎麼了？」

「你若活得不耐煩，何不早日輪迴轉世呢？」

「這是我的對白吧？說要收拾他們的可是你啊！」

符用雙指敲了敲區星的側額，說道：「收拾不一定要硬碰。」

符沿著山路，偷偷摸摸的來到崖下，區星不解，但也只好無奈跟上。

不消一會，二人已藏身到黃肩野鬼附近的樹叢裡。

「好了，我們已身處一個被發現就能馬上投胎的距離。」區星問：「接下來該怎麼辦？」

「守株待兔。」符說完，便調整姿勢，從半蹲，換成了盤膝而坐，做好要漫長等待的準備，區星也別無選擇，只好跟從。

黃肩野鬼除了聚集外，似乎就沒有其目的，到達了的，都傻站著，即使那兩頂轎出現，也沒引起他們注意，他們就那樣呆站原地，偶爾走上兩步。看他們雙目無神的樣子，若非身上充斥冤邪之氣，還以為他們只是普通遊魂。

而那兩頂轎也沒動靜，內裡的魂魄，或可能是其他東西，一動不動，恍如空轎一般，只有緩緩散發的冤氣，還有肆意張狂的惡臭，印證他們存在。

「他們在等什麼？」區星小聲地問。

「值得人去等待的，只有兩樣，一是人，另一，是時機。」符左顧右盼，漫不經心地回道。

「那他們是在等人還是等時機？」

「我怎麼知道。」符笑道：「但我倒是等到了。」

「等什──」區星話未畢，符已撲了出去。

「──麼？」待其話剛盡，符又已撲回來。

而他兩臂彎中，還多了兩隻黃肩野鬼，他道：「快，把他們的披肩解下來。」

區星未領會符的目的，卻仍乖乖聽從。待他解去披肩後，符兩臂用力一鎖，兩隻野鬼同時灰飛煙滅，重投輪迴。區星目睹一切，卻沒太大反應，似早已習慣殺人之事。

「好，披上這破布。」符將其中一塊披肩拋給區星：「我們潛去那兩頂轎處。」

區星披上披肩，才終於恍然大悟：「擒賊先擒王？」

「這披肩還能讓人變聰慧？」符嘲笑道。

「哈哈，因為我也吃過這一招，就是那和你很像的孫兄。」區星笑著回應。

符卻笑不出來。

區星倒是沒有察覺，繼續說道：「你和他一樣，都喜歡走捷徑。」

符輕嘆一聲，須臾才接話：「我只是走最快的那條路罷了。」

「那就叫做捷徑呀！」

符無奈苦笑，然後眺望遠方，隱約看到長沙城。那是一座符不想憶起的城池，但人生有些事，無論再怎麼逃避，最終仍要面對。

符深吸一口氣，再徐徐呼出，然後用稍稍發抖的聲線問道：「能告訴我那位孫兄的事嗎？」

區星雙目放光，興奮地說道：「那位孫兄，可是個大人物！我認識他時，他才剛上任，當這長沙太守！啊，對了，我還沒說他的大名——」

「我知道。」符再次苦笑，雙眼透出一絲徬徨，小霸王的氣場蕩然無存，此刻的符，更像一個不敢面對長輩的小孩，勉強壓制不安，徐徐說道：「孫堅，對吧？」

然後，兩頂轎內的邪氣突然變得失控奔騰，兩把陰沉的聲線隨之傳出：「孫堅？那狗娘養的在哪？」

百鬼

九

烏雲密布，遮星蔽月。

兩頂轎內邪氣四散，須臾已籠罩整片山腳，受邪氣沾染的黃肩野鬼，發狂般仰天長嘯，雙眼閃出不祥紅光，然後，轟的一聲，兩頂轎被邪氣衝破，濃烈黑氣漸漸消散，兩個文官裝扮的惡鬼屹立其中。

「真是隆重的登場。」符反倒因而平復了心情：「報上名來吧。」

「荊州刺史王叡。」

「南陽太守張咨。」

兩人同時答道。

符細想一陣，回道：「就是坐無所知的王叡，和稽停義兵的張咨？」

二人聞言，青筋暴起，當即怒道：「你這不知死活的小子，是何許人也！」

「無常之符。」符環抱雙手，輕抬下巴，擺出一副輕蔑二人的姿態：「暨孫堅長子。」

王叡和張咨得知是仇人之子後，更顯狂怒，冤氣噴洩更趨失控。

王叡揚手怒吼：「包圍這狗雜種！」

百餘名黃肩野鬼聽令，立馬踏步進迫，將符團團圍住，卻不見區星身影。

「呼……大叔，可別令我失望。」符面對這百餘惡靈，亦不禁冒冷汗，畢竟就算在生時，要面對一百個士卒也難言勝算，何況眼前對手盡是冤魂，已非單憑武藝能制伏，而自己還剛被司命封印了邪冤之氣，當下靈力，莫說王叡張咨，和區星相比都遠遠不及，只與普通野鬼相差無幾。

說到區星，原來早在王叡張咨登場時，符已深感不妙，於是趁二惡賣弄邪氣，擺排場之際，將區星一腳踢開——

「你幹什麼？」區星撫著屁股，不解地問。

「這裡交給我。」符說。

「你要我丟下你獨自逃亡嗎？」區星疑惑：「可是……我們感情有這麼深厚，值得你為我犧牲嗎？」

「去你的，誰叫你逃？我要你去做你該做的事。」

「我該做的事？」區星更加困擾：「是什麼？」

「你之前說，要怎麼對付這班黃肩野鬼來著？」

「等幫手？」

「沒錯，不過這回不能再乾等。」符指向剛才那山的後方，說道：「在山後的樹林裡有個靈驛，你去那賭賭運氣，看有沒有無常剛好在附近。」

「可是……你一個人得撐下去嗎？」

「廢話！我撐得了這一百多人，還要你去找救兵麼？快去快回！」

「知、知道了！」區星說罷，便一溜煙直奔靈驛——

符面對百名惡鬼，雖一副游刃有餘的姿態，其實緊張得很，被衣袖掩蓋的手，緊緊握住黑鐵短刀，隨時出鞘。

「你不怕？」王叡問道。

「有何好怕？」符冷笑道：「我在生時已是一騎當千的猛將，何況現在還當上無常，擁有無邊法力，要對付這裡區區百餘野鬼，綽綽有餘。」

「哼，不愧是狗雜種的兒子，都一樣喜歡耍詐。」張咨目露凶光。

「天真，我們都是十年修為的亡魂，會看不透你靈力多寡麼？」王叡再度抬手。

「十年修為算個屁！我不久前才宰了個三十年修為的邪靈。」符執刀的手握得更緊。

「那一百個十年亡魂又如何？」王叡抬起的手向下一揮，百鬼便同時撲向符。

雖說百鬼同時來襲，但都只手執刀劍，不見槍矛等長兵器，更不見弓矢，所以即使有百人之勢，但能同時攻向符的，也不過有七、八人左右。符緊握這唯一優勢，不輕易擊斃先攻來的野鬼，只砍斷雙手，讓他們無法掌握兵器，卻不至於倒下，好抵擋後方攻勢。

符的計謀的確爭取了些時間，但可惜這班野鬼受人驅使。王叡見狀，再度揚手，只見野鬼們面目更添猙獰，身處第二排的野鬼直接手起刀落，將身前擋路的野鬼斬除，然後立馬上前，揮刀劈向符。

面對無情野鬼的攻擊，符先彎身躲過一招，再順勢撿起被地上散落的兵刃，然後提劍，刃尖仰指，借站立之勢，向上一刺，先刺死一隻野鬼，再馬上奪過其手上大刀，旋身橫劈，攔腰再斬開三隻野鬼，一口氣減少四個敵人，再加上方才被自己人砍殺的六個，野鬼數目已少了十分一。

若在生之時，敵軍見符如此勇猛，早已膽怯，甚至開始潰不成軍，但這些野鬼都受王叡擺布，已無恐懼之心，所以仍一窩蜂地擠向符，就為砍他一刀，全不顧自己死活。

符揮舞大刀，心中暗喜，雖然質素參差，但面對圍攻，總比短刀順手。野鬼們緩了口氣，再度進逼，符後發先至，一刀劈向正前方那野鬼面門，卻沒想到，刀刃方劃破其印堂皮肉，竟就化為飛灰。而地上那些兵刃，也隨同其主人一同魂飛魄散，只餘下一塊塊泥黃色粗布。

符忽發其想，用短刀挑走其中一隻野鬼的披肩，黃巾飛揚，那野鬼馬上呆立當場，表情亦不再猙獰。

符舐了舐唇角，露出得意神情。他先奪過那發呆野鬼的劍，再將目光對準下一隻野鬼的黃肩，劍光一閃，黃巾緩緩飄落，尚未觸地，劍光再三閃掠，又多三塊黃巾落地。然後，符從他們手中一一套過刀劍，左手執刀，右手握劍，多出來的統統插在身後，形成刀劍之林，以作備用。

「成也黃巾，敗也黃巾。」符還有餘裕望向王張二人，嘲諷一番。但王張二人，反而笑了起來，其目光都望向同一處，符的左肩，然後同聲說道：「果真成也黃巾，敗也黃巾。」

符這才想起自己也披了塊黃巾在肩，他欲將之摘除，卻比不上早已抬手的張咨，只聽他冷冷一句：「稽停義兵。」

符肩上的黃巾應聲閃現不祥光芒，符便有若被千斤壓頂，雙腿難以挺直，只能跪倒地上，雙手也沉得難以提起，野鬼們乘勢將劍刃都向符後背招呼過去！

符勉強運起雙手刀劍，架在後背交叉，雖然抵擋住致命傷，卻仍被劃破好幾道口子。「幸好我已非肉身，否則光是出血，就讓我撐不了多久。」符心想：「不，等等，這是什麼感覺？」

符感到靈力正慢慢滲出，才驚覺亡魂的傷口雖然不會流血，卻會讓靈力消散，說不定比流血還糟。

然而，戰況卻讓符無法多想，面對又一波攻勢，他勉強地翻了個滾，滾向剛才的刀劍林，王張二人下令野鬼先砍死已失去黃巾的同伴，令刀劍林化為飛灰，讓符無處可避。卻沒想到，符竟還自滾過刀劍林，然後輕巧地站起身來，一臉得意地瞪著王張二人。

「怎麼回事？為什麼他還能站起身？」王叡驚呼。

「他、他的黃巾不見了！」張咨叫道。

原來符滾向刀劍林，是為了借豎立的刀劍劃破黃巾，雖亦因而捱了幾刀，卻成功擺脫黃巾的詛咒。

「我承認，是我不好。」符沉聲道。

「哼，別以為求饒就會放過你！」王叡大罵。

「求饒？你誤會了？我說的不好，是指——」符的右眼隱約閃出血紅色的光芒：「——以打鬧的心態來面對你們。」

符說畢，口咬短劍，雙手化掌，尋找包圍中最薄弱的一環，然後，氣聚掌心，奮力一推，竟有一股莫名勁力從丹田湧出，力敵千鈞，一口氣推開了十數隻野鬼，就此突破重圍！

啪嚓——

符的胸膛內卻同時傳來一陣不妙聲響，彷彿有什麼裂開了，一股寒意從裂口中緩緩滲出，並漸漸籠罩全身。

天色灰茫，區星在路上跌跌撞撞，就為了早一步，去到靈驛尋找援手。

區星由出生至死後，都一直身在長沙，從未離開，長沙每一寸土地，他都幾乎踏足過，但就只有這片靈驛所在的樹林，無論他在生前，還是死後，都不曾，或說是不願步入。

即使十萬火急的當下，他亦在樹林前躊躇起來，以往他沒深究，但此刻他清晰地明白，是靈驛在抗拒他，令他不願接近。看來，靈驛只願接受無常之類，有特殊地位的魂魄。

區星瞪著樹林深處，但雙腿始終邁不開，甚至開始微微發抖，為了鎮靜下來，他緊閉雙眼，然後重重吸了口氣，待雙眼再度睜開時，不顧一切，拔足闖入樹林。

但靈驛沒有因此就被其決心打動，反倒捲起一陣狂風，直吹向區星，阻撓他的腳步。這狂風凌厲非常，不單力強，還銳利如刀，在區星身上，劃出一道道傷口。

「別想攔我！」區星將雙手架在面前，抵擋狂風，並咆哮道：「小兄弟在等著我啊！」

然而，靈驛還是無情依然，不單沒有放緩，甚至加強風力，區星抵擋不住，整個人被吹得快要飛起。但他不願就此認輸，不願就此放棄那位小兄弟，於是他垂下雙手，並慢慢把腰彎下，整個人趴在地上，匍匐向前。

狂風無可奈何，但靈驛不甘罷休，捲起地上的石子，又打落樹上的果實，然後吹向區星。區星冒著石果之雨，仍然不屈不撓，一手一腳地向前邁進。

「我這般辛苦……」區星停了下來，喘著大氣，開始疑惑：「到底是為了什麼？」

「為了那小兄弟？可是我們還不熟，小兄弟只不過是稱呼而已，又不是真的兄弟……」

區星身子一軟，整個人都快陷進地下。

「呼！那還用問嗎？當然是——」區星用力地呼出一口氣，然後發狂般大吼，同時用盡全身力氣站了起來：「——為了我的家鄉長沙啊！」

終於，區星突破阻撓，來到靈驛，他的神色卻反倒慘淡起來。

靈驛裡空無一人。

區星覺得自己辜負了長沙，亦辜負了符，然後，右肩一沉，雙膝一軟，跪到地上。他以為是挫敗令他折腰。直至他發現，那塊忘了脫下的黃肩，在閃爍不祥光芒，才隱約理解是什麼事。

「小兄弟有危險！」區星馬上摘去披肩，然後站了起來，運了運氣便跑回去。

由於區星來去匆匆，所以沒察覺到，在樹林深處有些不尋常的聲響，是樹葉拂過衣裳的聲音，還有幾近無聲的腳步。

待區星遠去，一個身穿官服的魂魄，從樹林的另一邊現身，風在其身側吹拂，只見衣裳內彷彿空蕩無物，身肢纖細得不像男子，其步履雖然隱密，卻又帶點婥約。

「似乎真有不祥之事。」一把美如醇酒的聲音幽幽響起：「正好，可以為我的大美人掙掙功德。」

十 閑月

涼風拂過遍山樟樹，吹散晚花的香氣，彌漫山林，令暑意稍稍消退幾分。

這本是區星最心愛的長沙夏日。但此刻他卻無暇顧及，拼盡全力，只為早一步趕到，甚至捨棄平整山道，徑直地衝過叢林和山坡。

是為了陷入危機的小兄弟？不，是為了他的地盤，也是唯一所愛的長沙。即使長沙最終仍落入那班惡鬼手上，他亦要見證，並為長沙殉葬，雖然其肉體早已經死去，但魂魄尚在，他還能再死一次。

對區星來說，長沙是家，是國，是地盤，是天下，是一切。區星自有記憶以來，便以長沙山林為臥榻，以長沙天空作屋簷，除此之外，他便一無所有。

然而，當區星趕到後，目睹的一切卻讓他疑惑了。

山腳下的黃巾野鬼已少近半，上空彌漫著飛散的魂魄，餘下的野鬼則將符重重包圍，卻又保持一定距離，與其說是圍攻，不如說是阻撓著符。而在重圍最厚重處後方，兩個身穿官服的身影，在數名黃巾野鬼護衛下，死命地向北方逃去。

眼見長沙危機似解，區星稍一放鬆，雙膝一軟，便跪了下來，看上去卻似在跪拜著符。

「老天，無常都是他娘的怪物嗎？」區星嘆道。

即使是正常受訓，有著五年資歷的無常，單槍匹馬對上過百惡鬼，也只是螳臂擋車，除非是生前曾有過一番功業，名聲在外的人，他們死後，就不是普通魂魄，而是英靈。

而符的確是名英靈，憑著他橫掃江東的功業，足以讓他成為天下屈指可數的英靈。但他的資歷卻嚴重不足，雖然天賦過人，但數天就煉出胎光，繼而成為無常，靠的，其實是連他自己都不知道的邪道之法。

符是半正半邪的鬼魂，靠著那難以察覺的冤邪之氣，才讓他進步神速，短短數日已追上一般無常數年的修為。

這份邪力卻被司命封印，所以他的靈力大減，變得和一般鬼魂不相上下，能和那班惡鬼糾纏，全靠生前的搏鬥經歷，但也不足以讓他應付如此重圍。

但當下，符卻以一敵百，更殺得王張二鬼落荒而逃。

只見在重圍中的符，微弓著背，肆意吞吐靈氣，身上散發著淡淡暗紫氣息，雙眼更滲出不祥的血紅光芒。那是惡鬼的姿態。

「沒想到，我又用上這力量。」符自言自語道：「希望不會受天譴吧。」

符深吸一口氣，再向著前方肆意怒吼：「攔我者死！」

一聲獅吼，竟疾如狂風，將數十隻野鬼狠狠吹開。

然而，即使是惡鬼，靈力也並非無窮無盡，何況有傷在身，靈力不斷散失的符。這一聲獅吼，幾乎耗盡他的靈力。縱使雙膝見軟，但面對敵人，絕不跪下。

這份氣概，亦感染了不遠處的區星，他站起來，拍拍雙頰，為自己壯壯膽。然後，他學符般深吸一口氣，然後咆哮入陣。

眾野鬼望著矮胖的區星鬼叫著從山腰直衝下來，全然不放在眼內。只是，隨著區星的鬼叫聲漸近，遠方開始傳來一陣又一陣不尋常的震動。

涼風拂過遍山樟樹，吹散晚花的香氣，也吹開了叢林的枝葉。在枝葉之間，冒出一個個人影，竟是附近平民的亡魂，當中還有曾被符調戲的農夫，他的雙目竟不再無神，而是閃出淡淡的黃光，是和區星身上冒出的氣息相同樣的色彩。

這班亡魂呼應著區星的咆哮，一同衝向黃肩野鬼。

區星所號令的平民亡魂們，只有二十餘人，手執斧頭耕耙等農具，無所畏懼地衝向全副武裝的黃肩野鬼。

由於王叡只顧逃亡，沒留意區星出現，再加上其手下已與符周旋了好一陣，早就滿身傷痕，所以耐不住平民們的衝擊，阻撓著符的重圍就此被突破。只是平民不諳殺戮，野鬼沒有多大損失，山下戰局就此僵持不下。

然而，這戰場並非要點，屠妖要砍頭，是亙古不變之理，所以符的目標始終如一，就是王叡和張咨。符趁重圍被破，馬上衝去追王張二鬼。

王張二鬼縱使死命逃亡，仍不時回頭，以確保符沒追上來，可惜事與願違。符雖已滿身傷痕，但目標近在眼前時，總能激發最後一口氣。死後至今，符的腳步從未如此輕快，現與王張二鬼相距五百餘步，即使二鬼不顧一切地逃跑，但距離仍急速拉近。

四百五十、四百、三百五十、三百、二百五十、二百、百五十、百——

尚餘百步之際，符卻放慢腳步，雙手分別舉劍，同時向前一擲。

百步穿楊！

兩把劍先破穿負責護衛的野鬼，再刺中王張二鬼的肩頭，將他們釘在地上，動彈不得。

符施施而行，區星也隨之趕上，兩人用勝利者獨有的，輕鬆，又帶點囂張的步伐，走到王張二鬼面前。

王叡和張咨在中招之後，就開始叫嚷、掙扎，卻因符走得太慢，所以當他來到時，二人已再無力叫囂。

「來，跟我說說。」符慢慢蹲下，露出欠打的笑容：「你們有什麼未訴的遺言？」

陰雲漸散，銀光從雲隙間撒落，原來，旭日已沉，明月已升。

「真幼稚。」朦朧如月色的天籟，從符和區星背後傳來。

符暗吃一驚，他方才追趕二鬼時，明明確認過身後沒有追兵，那麼這人是何時，以什麼方法來到他們身後？

符強裝鎮靜，緩緩回首，只見一個披官服，身肢纖細，步履隱密卻帶婥約的人。月光照落其臉上，映出一輪比天上明月更要皎潔的臉龐，美得區星、王叡和張咨都啞口無言，四肢僵固，只有符仍能舉止自如。

「呵，看到我的面容，竟然還把持得住。」那人稍稍弓腰，把臉貼到符的面前笑道：「我似乎小瞧了你這小美人呢。」

那人的笑容，恍如寒冬過後的春風，能把人的骨頭拂得酥軟無力，但符卻仍是神色自若，平淡地道：「因為我生前每天都細看妻子的臉龐，早就習慣。」

「你妻子有我美？」

「沒有，但比你好看。」

「這不是自相矛盾嗎？」

「有嗎？」

「呵呵，和你說不清，不理你了，先幹正事。」那人轉過身來，對著王張二鬼：「作為前輩，就讓你看看稱職的無常是如何超度邪靈。」

只見她徐徐褪下官服，這一脫，讓區星和王張都忘了呼吸，快要窒息當場，然後看到官服下那貼身舞衣，更幾乎昏厥過去。然後，她再將官帽脫下，秀出那如夜空般深邃、詭秘，似要將魂魄攝進去的黑色長髮。

符看著那墜地的官帽，不知為何，忽然想起這飾有貂尾蟬羽的冠帽，有個頗為高雅的名字，好像是喚作……貂蟬冠？

入夜後，山野暑氣漸消，在銀白的月光下，本應更顯淒冷荒涼，卻因為一個舞姬，讓整片荒野都披上一襲朦朧的羽衣，一草一木，都似在跟隨貂蟬的舉手投足，搖曳生姿。

這不尋常的景象似乎只有符一人注意到，而區星、王、張，還有黃肩和平民鬼魂，都被眼前的舞者深深攝住，莫説目光，連心神，都無法從她婀娜的身姿挪開，甚至連符，都開始把持不住。

傾國美人，符不是沒見過。至於美人獻舞，雖然大喬手腳笨拙，但其雙生妹小喬卻善舞，再加上其夫君公瑾的絕妙琴音伴奏，是符生前目睹過最美不勝收的舞步，卻仍遠不如眼前的貂蟬。

她僅以夜色為舞台，鳥蟲鳴叫和風聲作伴奏，卻似要將天下都收羅到其長袖之內。她舞姿動人，樣貌更絕色得連皎月都難以相比，但在座一眾男兒，雖看得痴痴入迷，卻無顯露半分動情動慾之貌。因為貂蟬的步韻，更似是為娘為母者，懷抱嬰孩哄其入睡時的輕搖。

夜空成了搖籃，涼風化為輕撫，仇恨、冤屈，都再沒意義，黃肩和平民的魂魄，開始瓦解，飛散，重歸萬物之母的懷抱。

風息，嗚休，舞畢。

符回過神來，方察覺方才有多可怕，說不定再多半刻，他也會保持不住自我，就此化成飛灰。驚嚇，讓他一時間沒有發現，貂蟬竟然在摟著自己。

「你是傻子嗎？」貂蟬溫柔地問。

「何、何出此言？」符本想俐落地回應，卻沒想到喉頭似被凍住般，要多用幾倍力方能將聲音迫出，也因而讓聲音變得僵硬緊張。

「我從未見過像你這般不珍惜自己的人。」貂蟬把符摟得更緊。魂魄的官感相當稀薄，遠比不上血肉之軀，但此刻，貂蟬摟著他的感受卻無比深刻、實在，貂蟬身上那股淡淡的，清幽如蘭的氣息，在鼻腔蔓延，漸漸漫遍全身。

不知為何，本應能讓天下男人都意亂情迷的一擁，竟反過來讓符回復理智，這並非因為符坐懷不亂，而是因為符再度為符。

符這才明白，剛才那陣出神，是因為他在魂飛魄散，所以意識、自我都不再成形，再多半刻，莫說自我，連符這存在都將消失，幸得貂蟬將他擁入懷中，方遏止了符的消散。

「我這拜月鎮魂步，可以直接化解邪靈的仇恨和冤屈，不過也只對意志不夠堅定，或是毫不珍惜自己的邪靈有效而已。」貂蟬輕撫著符的面頰：「真沒想到，你堂堂無常，竟比那幾個小邪靈還不如。」

貂蟬將符的臉龐向左輕挪，朝向區星。

只見區星、王、張，都虛脫地頹坐地上，不過都仍保持著元神，未像那些雜魚般魂飛魄散。

「都怪你，我才跳了一半就被迫停下。」

「那才一半？若全跳完，我豈不要輪迴好幾次？」貂蟬聞言不禁一笑，讓符心頭像有萬馬奔騰，他得緩一口氣，才能推開貂蟬並續道：「你為什麼要幫我？」

「幫你？」貂蟬笑得更開心：「你若在我的舞步下化為飛灰，那我可就成了弒殺同門的罪人，那刑劫可無法想像。」

「原、原來如此。」符自作多情後，尷尬地別開臉，正好又對住王張二鬼，他指道：「那他們怎麼辦？」

貂蟬指尖輕點下巴，細想一回後才答道：「那就來試試你那一套。」

「我哪一套？」符呆問。

「傾聽。」

赤兔 十一

張咨和王叡就像丟了魂一般呆坐在地，目光卻離不開貂蟬。貂蟬來到二人跟前，望望張咨，再望望王叡，然後便對著前者説道：「就由你先開始吧。」

「你不是説這麼做幼稚的嗎？」符來到貂蟬背後，翹起手等著看好戲。

「説你幼稚，是因為你的態度，一副囂張跋扈的樣子，誰要向你傾訴？」貂蟬鼓腮反駁：「不過，你現在就真的整個人都幼稚了。」

符搔了搔臉，無言而對。

貂蟬彎下身，正坐在地，然後雙手捧住張咨的頭，再輕柔地挪到自己膝上，張咨毫不抵抗，有如一隻忠犬般任由貂蟬擺布，順從地攤臥到地上。貂蟬哼著曲，輕撫張咨髮際，他的身體似被抽空般攤軟，眼皮也撐不下去，一副安詳沉眠的模樣。

「來，跟我説説吧，你的故事。」貂蟬輕聲道。

只見張咨軟弱無力的嘴唇微微抖動，然後氣若游絲地說道：「我、我叫張咨，本是朝廷命官，但董太師入京後，為了安撫各地望族，就任命了一眾高門子弟到各地為官，而我就成為了南陽太守……但最後，各路諸侯還是起兵造反……」

「而你，則被一同起兵的孫堅設鴻門宴，以道路不治，軍資不具，補給不力為由，冠以稽停義兵的罪名處斬了，所以就一直記恨著孫堅，並因此化為惡鬼，對不對？」關係孫堅的這些功績，符早從其父摯友、自己家師張紘口中，聽過很多很多遍，所以忍不住打斷張咨的話語，卻因此被貂蟬白了一眼。

「不、不單如此……」張咨說。

符突然有了興致，似乎張紘津津樂道的故事，有不同的版本。

「我恨的是自己……竟然完成不了董太師的任務。」張咨續道。

「任務？」

「被董太師派到各地為官的我們，雖然都是望族子弟，卻也大都是庶出之輩，在家中無甚地位。但董太師卻說，會打破天下法章，我們將不再受嫡庶束縛，所以我們全都誓死效忠，而被派到各地，除了安撫當地望族，另一個任務，就是拖延，太師早就預見的，各路諸侯造反的腳步……」張咨說著，腳尖竟已開始化為飛灰，徐徐飄散。

「老頭子，不，孫堅他是知道這事，才斬你的？」在符心中，自己的父親就是個暴躁，喜歡動粗，甚至嗜殺的惡人，所以他從張紘處聽到張咨的故事時，就認定父親只是隨便找個理由宰了張咨，畢竟也有傳聞說，張咨得罪孫堅是因為不肯奉承，而符選擇相信這個版本。

「孫堅？不，我惹到他，只是因為自己態度不好。」張咨說道。

符冷笑一聲，果然，他沒看錯。

「那麼，你們死後又為何召集一大班野鬼來長沙？他們又為何戴上黃巾？」貂蟬突然問道，眼神也變得冷峻。

「黃、黃巾？」本已接受命運，開始飛散消逝的張咨，慌張得想站起來，卻因為雙腿膝下的部分都已消散，所以摔了一跤，卻仍繼續地向北爬去：「不、不，說不得！說不得！」

貂蟬想捉住張咨再加盤問，卻沒想到一道黃雷突從天降，正正劈中張咨，還將旁邊的貂蟬都狠狠震開！

尚未等眾人來得及反應，又一道黃雷落下，劈向王叡！

落雷揚起的塵土消散，張咨身處之位卻變得空無一物，連四散的飛灰都不再存在。至於王叡，則被黃雷劈去半邊身軀，整個左邊似被蒸發一般，但其表情卻沒半分痛苦，而是變得更呆滯無神。

被震飛的貂蟬雖然飛得老遠，但落地時卻輕盈如羽，穩穩地著陸。只見貂蟬一臉怒容，憎惡地望北大罵：「去他媽的黃巾賊妖！」

「怎麼只罵不追？」符問。

「施術者在千里之外，怎追？」

「在千里之外引雷？那是什麼怪物？」

「不過是落雷，在半神的領域裡算不上什麼。」

「你也是半神了？」

「說什麼呢？成為無常，就已經能算是半神了。」

「可是我做不了千里放雷的事。」

「人與人之間也有差距，靈魂當然也有。」

符望著自己的手，握了握拳，再於拳上聚勁，想試從體內釋放出雷電，但無論再怎麼用勁，拳上仍是空無一物。

「你剛才說的黃巾賊妖……」符不想貂蟬留意自己在幹什麼傻事，於是趕緊找個話題引開她的注意：「是指張角嗎？」

「不清楚，但肯定是他們三兄弟之一。」

「如果他們三人都能落雷，那豈不很可怕？」

「打不中就沒什麼好怕。」貂蟬手輕揚，方才脫掉的官服和官帽都飄了過來，自動披上。

「你要走了？」符問：「去找張氏兄弟尋仇？」

「我才懶得管他們的事。」貂蟬不屑笑道：「我的目的只在掙功德，換回大美人。」雖然貂蟬被雷轟過後顯得一臉疲態，態度也不再親切，但在說到大美人三字時，卻又露出甜美如蜜的笑容。

「大美人是指呂布嗎？」符笑問。

「你知道我是誰了？」貂蟬喜道。

「能如我妻子般貌美的，天下也沒有幾人。」

「呵呵，沒錯，我的大美人除了他還能是誰？」貂蟬笑得更燦爛了。

「他也是無常？」

「本來司命大人確是想找他當無常的，可是大美人他二話不說，一戟就擲過去，於是便被變成畜牲，說是因為輕蔑神明，要受刑百年。」貂蟬苦笑。

符再望了望自己的拳頭，想起和司命的那次相遇，然後決定保持沉默。

「那他變成了什麼？」符好奇地問：「馬？」

貂蟬綻放出如春日般明媚的笑容，然後吹了一聲口哨，過不久，一隻披著赤色皮毛的動物，便從山裡蹦跳出來。

那是一隻眼神堅毅，步履穩健的——兔子。

符望著這曾經的飛將呂布，呆了好一會，才失控地大笑。

貂蟬俯身將呂布抱入懷中，輕撫牠的雙耳，然後再在其額上親了一口，才說道：「很可愛，對吧？」

符真誠地點頭贊同，然後貂蟬回以一笑，就轉身準備離開，卻在走了兩步後，回過身來說：「差點忘了，還有一個怨魂呢。」

符望向被第二道雷劈中，只餘下半邊身，正在飛散中的王叡，說道：「可他這副樣子，應該無法傾訴了吧？不過我倒是大概知道他的故事，他本是荊州刺史，卻因為我父親受人所騙，以為王叡心懷不軌，把他迫得吞金自盡……我只知道這些，有用嗎？」
貂蟬卻徑直跨過了王叡，來到另一人跟前，說道：「不是他，是他。」
是區星。
「等、等等！」符擋在區星面前：「你想幹什麼？」
「超度怨魂啊？」
「可是區星又沒做壞事！」
「無常收魂就只是職責，和怨魂本身是好是壞無關。」
符無言以對。
「你們認識了很久？」
「不，才認識了沒幾天……」
「那根本沒什麼交情嘛，你護著他做什麼？」
符回頭望了望仍頹坐在地的區星，然後垂首答道：「我也……不知道。」
貂蟬嘴角微微揚起：「對了，你知不知道，為何剛才你會受不了我的拜月鎮魂步？」
「你不是說了，因為我不珍惜自己。」
「那為什麼你會不珍惜自己？」
「我也……不清楚。」
「呵呵，那是因為你沒有留戀。」
「我有啊！」符抬頭向天，搜索了一會，卻不見灰鴉的身影，不知飛到哪裡去了。
「那真能算是留戀嗎？」

「呃……」
「對你來說，當無常就和消遣差不多吧？」
符再度無言以對。
「靈魂的世界有何意義，你都不在乎吧？」貂蟬放下赤兔，然後緩緩走到符的跟前，用雙手輕輕捧起符的臉頰，並在他耳邊輕聲道：「甚至對於存在本身，你也不在乎。我看得出來，你對這世界沒有留戀，是因為不喜歡自己，雖然沒打算自盡，卻期待著毀滅。」
符再再度無言以對。
「不學會喜歡自己，留戀自己，可感受不了這世界的意義。」貂蟬的聲音，有如夏日清風，卻又似炎夜繞著耳邊飛舞的蚊蟲。
「有沒有意義，真的如此重要？」
貂蟬微微一笑，然後靈巧地繞過符，來到區星的身邊，在符來得及反應之前，於區星耳邊低訴了些什麼。
「你幹什麼！」符急道。
但一切都已經太遲了，區星的身體開始慢慢化為飛灰。
「來吧，來恨我吧，雖然未必會長久，但起碼也能算個存在的意義吧？」貂蟬狡猾地笑道。
符一個箭步衝上去，向著貂蟬的臉就是一拳，卻被貂蟬用兩根手指就擋住了。
「你是不是看我是女人，就小瞧我了？」貂蟬稍稍不滿：「在靈魂的世界，男女肉體的差距早已被消弭。」

貂蟬張起五指，續道：「你知道嗎？成為靈魂之後，連大美人都不是我對手。」

在符還未看清發生什麼事之際，他已被貂蟬一掌巴到四五丈遠。

須臾，符才回過神來，但已不見貂蟬身影。符本想追上去，卻被正在消失的區星一手拉住。

「小兄弟，可否……聽聽我的遺言？」即將魂飛魄散的區星虛弱地説道。

朋友 十二

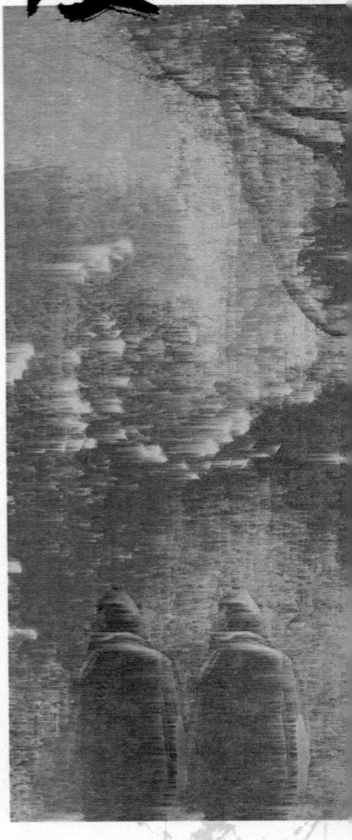

符盤膝坐下，拍了拍大腿向區星問道：「要膝枕嗎？」

區星失笑：「嘿，男的就不必了……」

「那麼，你想説的是什麼？」

區星沉默了一會，心想這種時候該説什麼，是道別？還是交帶後事？過了好一會，他才終於張聲：「很高興……認識你？」

符呆住了，兩人相視，繼而大笑，笑得淚水都飆出來。

符拭了拭眼角，説道：「還説笑？不是時間無多了嗎？」

區星笑得過了頭，喘了口氣才能再説話：「但在這最後時刻認識了小兄弟你，也值了……」

「我們不過認識了數天。」符苦笑。

區星望著夜空上的明月，徐徐說道：「交情深淺哪在時日？一見如故便是知己……」

「怎麼突然出口成文？」

「這是我死前聽的最後一句話，是孫兄殺我時所說……」

符怔住了：「孫兄？是指之前你說的那個孫兄……孫堅？」

「對……」

「是……他殺你的？」

「沒錯……」

符單手掩面，整理思緒。明明他知道自號為長沙將軍的反賊區星，是被當時的長沙太守、自己的父親孫堅所討伐，那區星命喪於孫堅手上，也很合理，但——

「為何你會稱手刃自己的人作兄弟？」

「因為我的命是用來交易的……」

「交易？」

「當初我會揭竿而起，是因為孫兄上一任的長沙太守，是個殺千刀的混帳，只當長沙是踏板，讓他向上爬的工具。他一心要當京城大官，所以任意徵稅，大開土木，然後從中斂財，用來送禮討好那些狗屁達官貴人，害得長沙民不聊生……」

「於是你就造反了？」符露出欣賞目光，沒想到這大叔竟有如此氣魄為民請命。

「不，我哪有這膽子……」沒想到符的欣賞馬上就落了空，區星續道：「我最初只是跟著領頭的當個爛頭卒，卻沒想到，經過幾次失敗，領頭逃了，餘下的人卻開始推舉我當新的領頭……」

「不說說其中的威風事？想必做了不少，才讓他們願意跟隨你吧？」

區星尷尬地笑了笑：「算了吧，也不是什麼真的很威風的事……」

「你不說我大概也猜到，不外乎是冒死為同袍殿後，或深入敵陣救出戰友吧？」

「你怎麼知道的？我都要懷疑你是神仙了……」

「連我這認識不久的小子，你都願意去犯險，更何況是出生入死的兄弟？」

區星露出靦腆的神色，然後繼續訴說他的故事：「不知為何，聚集到我們旗下的人越來越多，而長沙的軍隊因為太守剋扣軍餉，所以戰力日減，甚至有不少逃兵轉而投靠我們，讓我們從百餘人的小賊團，慢慢變成千上萬的義軍，而我也在手下慫恿下，自稱長沙將軍……」

「結果驚動朝廷，於是他們撤了上任太守職，換上孫堅來對付你們？」

「沒錯，你怎麼好像什麼都知道？」區星疑惑，但符只是一笑置之，於是區星便續說：「孫兄他當了太守，第一件事，竟然是找我們談判……」

「你不怕是陷阱？」

「他可是單人匹馬來到我們的據點……」

「這倒沒聽說過。」符感到意外，他本以為這些可以吹噓的事跡，張紘都一定會掛在口邊，說到他們幾兄弟煩厭為止。

「他來到後，二話不說就問我軍對長沙官府有何不滿，並一一摘錄，聽完，就那樣走了，搞得我們一頭霧水。卻沒想到，他離去後，我們當初訴說的不滿，竟然一一改善，稅收減免了，土木工事都緩下腳步……」

「雷厲風行，的確是他的風格。」

「然後，他再次來訪，而這次就是訴說他的要求，他說不追究我們大部分人的罪責，只要求以我為首的幾個領頭自首，好讓他對朝廷有個交代。而我感激他對長沙所做的一切，所以打算聽從，可是我的手足，尤其是領頭們卻不願就此當階下囚，甚至喪命……於是，我便與孫兄私下交易，用我一命，換回兄弟們平安……」

符一時間啞了，他緩緩呼吸，想理清思緒，卻發現思緒並不凌亂，想冷靜地思考，該如何回應，卻發現自己根本就沒有停止過思考，他只是不知道該如何回應，或許，也不需要回應什麼。只有衷心的拜服。

但區星已時間無多，符不想讓他在良久的沉默中消逝，所以勉強擠出一句話語：「所以，你為保住兄弟而自投羅網？」

這隨意一句，竟讓區星露出相當滿足的神情，符感到意外，因為他不明白，所謂傾訴這回事，傾訴者想得到的，並非一言驚醒夢中人的奇謀妙策，而是只想對方用心聆聽，符這一句簡單的複述，正正代表他認真傾聽，這，就是傾訴者最希望能得到的回應。

「這只是其一，還有另一個原因……」區星笑道。

「為了長沙，對吧？」

「你怎——」

「想說我怎麼知道的，對吧？」
「你是神——」
「我既不是神仙，也不是妖怪，只是你太單純易猜而已。」
「哈哈……」
「為何你會如此執著長沙這地方？天下之大，長沙不過是其中一隅。」
「哼，又是天下……」
「天下怎麼了？」
「小兄弟，不，符兄弟，你有父母吧？」
「現在？」
「不，出生時……」
「有。」
「有兄弟姊妹嗎？」
「只有弟妹。」
「也有祖宗吧？」
「當然。」
「我全都沒有……」
符無言以對。
「我是孤兒，被當成奴隸養的孤兒……」
「當今還有奴隸？」

「當你的生存所需，全都受制於人，不得不聽從其命令時，那就是奴隸。只是現在都不稱呼為奴隸而已，名號或許消失了，但還是有的…」

符再度無言以對。

「我唯一能稱為家的，就只有這長沙……其實我連自己是否在長沙出生都不知道，但我在這裡長大，好的、不好的經歷，都在這裡……我除了長沙，就一無所有，或許……並不是我愛長沙，而是除了長沙，就沒有值得我愛的事物……」

「……辛苦你了。」

「那是因為你有不同的人生，才會覺得辛苦，對我來說，這就是人生，沒有什麼辛不辛苦……」

沉默。

「其實……」

「我還以為已經說完了。」

「哈，怎麼可能，我的人生可不像你，豐富得很……」

「你怎麼知道我人生不及你豐富？」

「呵呵，你那麼年輕就死了，就算經歷再多，也沒法體會完整的人生，幼年、少年、青年、壯年，再到老年……」

「你不也來不及老就死掉了？」

「但也起碼比你年長一倍有餘…」

「這倒是，那你原本想其實什麼？」

「這話，我從沒和任何人說過，總感覺不好意思，怕被別人恥笑，但現在不說出來，就再也沒機會……」
「我或許會笑，但不會恥笑，嗯……也說不定。」
「哈哈，你真老實……」
「欺騙一個將消逝之人沒有意思。」
「對啊，反正，我都快不存在了，那就豁出去吧。其實，我很想當個真正的將軍……」
「就是這樣？有什麼好羞恥？」
「你不懂……」
「那你為什麼不去試？」
「早試過了，但像我這種沒有籍貫又身無分文的人，別說將軍，連參軍的資格也沒有……」
「抱歉，我不知道該說什麼好，出身官家的我，似乎說什麼都像諷刺。」
「哈哈，你願意聽，那就夠了……」
「呼——」
「怎麼了……？」
「其實，我也有個羞於告人的野心。」
「你肯說？」
「你肯聽？」

「當然，不過聽後會否恥笑，就說不定了……」
「去你的！」
「哈哈……」
「唉，畢竟你也快消失，傳不出去的。」
「快說吧……」
「我，想當皇帝。」
「喔……」
「但卻只想坐坐龍椅，俯瞰眾生，然後在麻煩事來到前，拍拍屁股，把皇位傳給弟弟。」
「真不負責任……」
「沒錯，我就只想當當，卻不想在政事上操心，更不想被那區區龍椅困住。」
「皇帝不是人人都想當嗎？有什麼好羞於告人？」
「有些位置，你離得越近，越不能說出口，一來，是大逆之罪，二來……二來，或許是我太認真看待這事，所以更難將之宣之於口。」
「這我倒理解……」
「不過，一切都結束了，不自量力。」
「如果你做了皇帝，會封我當將軍嗎？」
符沒有回答，只是對著區星笑，笑得比往常都誇張顯眼，因為區星或許已經聽不到，他的雙耳開始消散，雙眼也沒了一半，所以符只好用力地笑，希望區星能看到。

「當然會。」待區星完全飛散，符才用話語複述著答案，不是對區星，而是對自己說。

「其實，我以為自己就算當不了皇帝，也起碼能做個王的。」符繼續自語道。

「可是，完了，早就完了。」符雙眼泛紅，彷彿在這一刻，他才真正感覺到自己已經死了，建功立業的野心已成泡影，更讓人難受的，是他還留下了一大團爛攤子。

符呆坐在地，仰視天空，望著明月西沉，又看著旭日東升，萬事萬物，都在繼續，周而復始，生生不息，只是再沒他的份了。

「算了。」符站起來，伸了個懶腰，然後笑說：「去看看吧，我曾經的目標。」

「反正我是亡魂，活人看我不見，就去皇都坐坐龍椅，過把癮吧！」符精神抖擻地說。

符邁開腳步，向北前進，但沒走兩步，又停下來，問道：「是去洛陽？還是長安？」

符稍稍想了想，然後再度踏上旅程：「先去洛陽，再到長安！」

艷陽，青空，白雲。夏季氣息日盛，但暑氣卻攔不住小喬輕盈的步伐，她哼著小調，踏著小跳步，來到大喬的房間，卻發現裡面空無一人，於是她又走了出去，隨手抓個丫環問大喬的所在。

原來大喬去了兒子孫紹的房間，雖然小喬是孫紹的姨姨，卻甚少見這位姨甥，但畢竟小喬才剛搬來吳沒多久，所以也不覺奇怪，她問明了方向後，便再度邁開小跳步，跳著跳著才發現，這小紹兒的房間，離她姐姐的房間，竟然有好大一段距離。

小喬緩下腳步，再細想這陣子的經歷，才發現，大喬雖為人母，卻甚少花時間和自己的兒子相處。據大喬所言，她一天也就上下午各一次，會到小紹兒的房間露露面，而且每次的時間都不長。

想到這，小喬不禁心寒，並暗暗嘆了口氣。

不知不覺間，小喬已來到孫紹房間附近，卻看到一個十來歲的小女孩，在前方的轉角埋伏著。雖然那小女孩背對著自己，但光從她身穿的輕皮甲和掛在腰間的小弓矢，就知道是誰。

「尚香將軍，你偷偷摸摸的在幹什麼？」小喬想嚇她，所以故意放輕腳步，鬼鬼祟祟地來到那小尚香背後，乘其不備，拍肩問道。

卻沒想到，小尚香完全沒被嚇著，反倒沉穩地回過頭來，露出一抹冷笑，嘲諷小喬的幼稚，然後才說道：「我在警備異狀。」

「異狀？」小喬雖然因為小尚香嘲笑而漲紅了臉，卻又馬上被她的話題吸引過去，忘了尷尬。

小尚香抽出一根包裹著棉的細矢，指向轉角後，小紹兒的房間。小喬探頭一望，卻只看到大喬在抱著小紹兒，生硬地擺著手，似是想哄他入睡。

「有什麼好奇怪？我姐的手腳就是這麼不協調。」

「奇怪的是大嫂的樣子，你不覺得有問題嗎？」

小喬將目光從大喬那可笑的雙手，上移到她的臉上，只見臉色較往常紅潤，還帶著一絲淺淺笑意，並在和小紹兒說些什麼。

「對吧？我從沒見大嫂笑過，所以才在這監視！」小尚香煞有介事地說，但目光卻像在賞花賞鳥。

「真的很奇怪！」

「不過我大概知道原因。」

「什麼原因？」

「這陣子有人陪她聊天。」

「是在說小嫂子你嗎？」

「其一吧，還有……呃，一隻鳥？」

但小尚香卻理解地喔了一聲，點了點頭。

「和鳥說話，你不覺奇怪嗎？」

「這很大嫂。」小尚香這一說，把小喬逗得哈哈大笑，同時引起房內大喬的注意。

大喬抱著小紹兒走出房門，卻被乳娘攔住，示意要先安放好小紹兒。大喬也沒多想，就將兒子交給乳娘，然後走出來，來到轉角，探頭而出，望向小喬和小尚香。

「你們在幹什麼？」

小尚香臉頰突然一紅，然後拔腿就跑，剛才在小喬面前的穩定和成熟，就像是蜃樓一般。

「似乎小尚香還是很討厭我。」大喬失落地道。

「我看是相反才對。」小喬輕聲說，故意不讓大喬聽到，然後馬上轉換話題，問道：「對了，這陣子工作如何？那新來的表現怎麼樣？」

「他啊，說想告個假，去散散心。」

「無常也要散心？他當自己是什麼？」小喬驚訝道：「那他有說要去哪嗎？」

「洛陽。」

「那不正是多事之地嗎？怎麼感覺像是命運在推他去……」小喬嘆道。

「是命運，還是我？」大喬反問。

「我們靈巫，也不過是命運的傳話人而已，你既批准了，也就是說上面沒有阻撓吧？」

大喬面色一沉，默默地點了點頭。

「希望他不要出什麼事就好，難得你交了個朋友。」小喬再嘆道。

「朋友？」

「你們不是常常書信來往嗎？透過那兩隻鳥。」小喬不懷好意地笑道。

「原來這就能算是朋友了？」大喬若有所思，然後掛上一抹不那麼淡的笑容，有如花開的一瞬，又像涼風拂過荷塘所皺起的漣漪，短暫，卻令人印象深刻，還嚇呆了小喬，但大喬卻毫不察覺，接著笑道：「我終於交到朋友了。」

虎倀

十三

烈日當空。

大小喬兩姊妹來到庭園荷塘的亭子，大喬興味盎然地賞荷，小喬卻有氣無力地攤坐在亭子裡，不住地搧著扇。

「姐，你不熱嗎？」小喬吐著舌喘著氣問道。

「熱啊，你不見我都流汗了嗎？」大喬的目光放到荷塘對岸的樹上，一隻色彩繽紛的怪鳥，牠四處張望，似在觀察什麼，牠看了看大喬，便飛到孫宅深處。

「那還看什麼花啊？這裡連風都沒半滴！躲在房裡，喝喝果汁，嚼嚼蜜餞，再找盆涼水泡泡腳，不是更好嗎？我可受不了這大太陽，都快要融化了啦！」小喬埋怨道。

「你身子什麼時候變得這麼差的？」大喬關切地問道。

「我不是那個意思啦……」小喬說：「倒是你，什麼時候身子變得這麼好？之前不是連站著都會面無血色的嗎？」
萬里無雲。
「我想是因為這陣子睡得夠飽吧？」大喬手指輕點顎尖，邊回想邊答道：「總是天黑就睡，天亮就醒。」
這本是常人作息，對靈巫來說卻可遇不可求，皆因無常即使克服陽光，也只不過是能夠承受，卻還是會不舒暢，所以大都選擇入夜行事，報告自然亦不例外。靈巫若想掌握最新消息，就得跟從無常們的習慣，在夜晚幹活。
「這麼閒嗎？」
「對啊，我負責的無常不是失蹤，就是還在任務當中，這幾天都沒什麼活幹。」大喬說著說著，揚起了雙手，脊樑挺直，伸了個大大的懶腰。
「那新丁呢？沒再寫信來聊些有的沒的了？」
「有啊，我昨天才剛回信。」
荷塘波平如鏡。
「這次又聊了些什麼？」小喬其實不太關心那新丁無常，但她很好奇，是什麼人能讓那幾乎對任何事物都冷若冰霜的姐姐面露笑容。
「他說途中遇上一匹死馬，於是便四處找牠的魂魄，希望能馴服當坐騎。」大喬手舞足蹈地說著：「成功的話，以後執行任務就方便多了。」
「看來真的只有工作能讓你提起勁呢……」小喬苦笑。
大喬收斂了笑容，本來躁熱的空氣，像遇上冷鋒一樣安靜下來，她幽幽地道：「畢竟……我除了這靈巫的身分外，就什麼也不是。」

小喬本想接話，説她還是一個母親，但想到之前的事，心裡也涼了半截，孫家對待大喬的態度，彷彿她只是個繁衍的工具，何況她和亡夫孫策之間沒半分感情的事，在孫宅內幾乎人盡皆知，就如大喬自己所説，撇開靈巫這身分後，她還能算是什麼人？

天際，不知不覺間浮現出一片片捲雲。

「看樣子，這幾天要刮大風。」小喬望天説道，卻發現在捲雲之間還有什麼東西在。

大喬仍在細賞荷花，亦突然聽到一陣急促的拍翼聲。她抬頭一望，發現方才那隻彩鳥，從大廳倉皇逃出，然後向西北方直直飛去。

小喬發現的不明物體亦越來越接近，看上去也是飛鳥的模樣。小喬驀然站起來，用顫抖的聲音呼喚大喬。

大喬聞聲回頭一望，只見那飛鳥已近在眼前，是一隻青色大雁，其羽毛如絲，隱隱透著光芒，雙腳各繫著一排管子，管裡都塞著信。

小喬被青雁嚇得動彈不得，大喬雖也震驚，卻仍勉強穩住腳步，小心翼翼地走向青雁，鞠了一躬，才取出信件，只見信背上刻有一個印記，那是司命的印記。

夜色迢迢，暑氣未消。今日既非大時大節，此處亦非都城市鎮，只是南陽郊野一個不起眼的農村，但幾乎全村人，都聚在一起飲酒笙歌，大興宴席。

宴席中央擺著一頭猛虎的屍首，雖然氣絕，卻仍嚇人，因其體型大得異常，足有尋常老虎的一倍大，但其遺體上不見明顯傷口，只在眉心處有個不明顯的小黑洞。

在虎屍的上首，是這場宴會主角的位置，當下卻空空如也，周遭村民不知是沒有注意，還是根本不在意，都只顧繼續嬉鬧賣醉。

由於村民們不論男女老幼都聚在廣場，村中房子都冷冷清清，沒半點人氣，但在村子的邊陲，卻有間茅廬仍孤零零地亮著燈。

茅廬裡有個身穿布衣的弱冠男子，正聚精會神，對燭畫圖，直至遠方傳來鈴鐺的響聲，他才放下筆，執起身邊的蒲扇。

茅廬的門被粗暴地推開，但男子卻處之泰然，徐徐撥扇，靜候來人。

來人是一個衣著奢華，頭戴孔雀羽毛，腰掛金鈴的青年，那位曾經的錦帆賊——甘寧。他邁著放蕩的步伐，走到搧扇男子的面前，然後直接坐到他身前的几上。

「怎麼了，打虎英雄，酒喝夠了嗎？」男子笑道。

「老子不懂。」甘寧醉醺醺地說道：「打虎和名揚天下有何關係？我可不是想當個什麼狗屁獵人啊！」

「我現在跟你說，等你酒醒時還會記得嗎？」男子苦笑。

「別小看老子的酒量啊！」

「呵呵，那你未醉時怎麼不來問我？」男子冷笑一聲，空氣彷彿都被凍住，連甘寧都禁不住打了個冷顫。

男子再笑一聲，這次溫和了許多：「別怕，真要打起上來，我可不是你對手。」

「你可怕的地方又不在這……」甘寧咕噥道。

「堂堂錦帆賊，竟然怕一介書生，哈哈！」男子說：「好了，不戲弄你了，這就跟你說。你明天提著虎頭起行，到江夏找太守黃祖，保你能得償所願，先當個部將。」

「黃祖？他仇家的頭目都掛掉了，還需要人嗎？」

「一個家族怎會因為死了一個半個人就衰落？何況現在孫權新繼位，為了樹立威信，必定得出兵立功，而又有誰比仇人黃祖更適合？這才是黃祖最需要人的時候，而你射殺那匹猛虎，既能讓黃祖賞識，又能為我們除害，一石二鳥，何樂而不為？」男子得意地笑道。

甘寧沉吟半晌，才徐徐說道：「……這才是你可怕的地方啊。」

然後甘寧便站起身來，準備離開。

「等等，這裡有個錦囊，但你先不要打開，待你為黃祖立了功後再看，這是你平步青雲的下一步，可要小心保管啊。」男子將錦囊拋向甘寧，甘寧雖然半醉，卻仍能俐落地接著。

「謝了。」

「道謝就不必了，只要別忘了你是誰的人就行了。」男子再度冷笑。

待甘寧走遠，男子再攤開剛才畫的圖，卻又被另一陣響聲打擾，那是巨鳥拍翼的聲音，這次男子沒有怠慢，急步走到窗邊。

只見一隻青色大雁飛來，牠的雙腳各繫著一排管子，管裡都塞著信。男子鞠躬後，便取出信件，只見信背上刻有一個印記，那是司命的印記。

南陽虎患消息傳到宛城，人心惶惶。南陽已近百年不見虎蹤，結果一來就是非常之物，據傳那虎大如馬車，人人都道是將成妖的大凶獸，怕已過百歲，本生於北方，卻為避戰亂而南來。

此時宛城上下都未得知猛虎已被討伐，更不知其魂魄就在自己身邊，大搖大擺地穿街過巷。

老虎雖為野獸，亦稍通人性，牠明白人畏其威，所以一直以來都有恃無恐，直至近來，這匹大凶獸接連遭受打擊，方知自己雖為百獸之王，卻天外有天。這接連的打擊，一次是來自錦帆賊甘寧那百步穿楊的利矢，雖然奪了猛虎之命，但畢竟依靠兵器，所以猛虎頗為不屑。

然而，另一次打擊卻非同小可，牠竟被人類徒手擊倒，雖說對方是魂魄，但自己也是已逝之身，即雙方條件均等，牠卻慘敗。牠本以為魂魄的生涯也到此為此，卻沒想到對方非但沒下殺手，反倒和牠這手下敗將談條件，要牠當自己的虎倀，就是為虎作倀所指的，為惡虎當幫凶的倀，只不過這回卻倒過來，由惡虎來為人當倀。

擊敗牠之人，正悠閒地趴在其厚實的虎背上，看著是個十六七歲少年，臉頰上有道箭疤。他生前姓孫名策字伯符，死後自號為符，是名資歷尚淺的無常，正在享受難得的假期。

符這趟出行的目的地，是曾經的帝都洛陽，雖然早被奸臣董卓一把火燒成廢墟，連凶手董卓本人也早已身亡，但符還是想去看看，若無他期待之物，才再決定是改道西行往長安，還是東去許昌。

「沒想到追不上那匹馬魂，反倒遇上你這虎魄，真乃塞翁失馬，焉知非福。」符邊用臉頰磨著虎背上的柔毛邊說道，而那老虎也像回應一般，低鳴示意。

「沒想到你一隻大貓，竟懂人語。」符説：「不過，早前我也遇過一隻會人言的怪鳥鸚鵡，或許在魂魄的世界，這都是尋常事。」

「説來都怪于吉老頭愛賣關子，總不願一次過説清楚靈界的事，結果中途就被變成灰鴉，讓我現在糊里糊塗，什麼都不懂。」符一邊抱怨，一邊望著在身邊盤旋的灰鴉。抱怨過後，符坐了起身，對老虎説：「總是老虎老虎的喊你，有點不便，要不幫你改個名號？」

沒想到老虎竟然提高聲調來回應，似乎頗為高興。

「哈，那喚你做什麼好？」符端詳著老虎説道：「老虎額上都有個王字，就喚你做老王，如何？」

老王失望垂頭。

「也對，舉凡老虎額上都有個王字，不夠獨特。」符再細想：「那……就用你獨一無二的特徵來作名號如何？」

老虎興奮地應聲，尾巴也豎得直直的。

「你最大特徵是體型……喚作肥大如何？」符笑説道，惹得肥大悲憤哀號。

「好啦，不逗你玩了，讓我再想想……老虎、虎……虎虎生威？叫生威？嗯……不好。虎、虎、虎……如虎添翼？啊！」符靈光一閃：「就喚你作翊，如何？不是羽異的翼，而是立羽的翊，翊，飛貌，就是飛的樣子。」

翊輕快地原地跳，似乎相當滿意。

「喜歡就好，這可是和我關係最好的弟弟的名字。」符說畢，若有所思地回望東南方。待他回首過來，翊正好步出宛城北門，再向北行數日，就是洛陽。

父子 十四

符乘著翊向洛陽前進，一路上只見荒地棄田，走了數天，才終於見到稍稍不同的景色，卻也只是由荒野，換成零散的廢屋棄舍，再漸漸變成一大片的頹圮敗瓦，及無數被焚毀後殘餘的樑柱，還有不少淒厲地哀號的亡魂。

再走了一會，符才驚覺，自己或許已經到達洛陽。

洛陽自光武帝建武二年起，已是大漢首都，歷經一百六十餘載，卻在十年前，掌權的董卓不但執意遷都長安，還要將洛陽城的臣民，尤其是富可敵國的名門望族，全都迫遷到新都，於是便將洛陽城付之一炬。

百年王都，在權力和野心下，與野草無異；萬千臣民，在戰馬和兵刃前，亦猶如牛馬。

「大漢皇帝，連自己的家園都保不住，哈！」符環顧四周，不禁笑道。

「看到洛陽這副景象，竟然還笑得出來？」一把囂張的聲音從符的背後傳來。

符轉身望去，只見一個披頭散髮，袒胸露臂，神情不可一世的青年坐在石堆之上。雖然他在對符說話，但目光卻凝視著遠方。

「你怎麼不把衣服穿好？」符好奇問道。

噗嗤一聲，那青年笑了出來：「你果然是個有趣的人。」

「是不是剛化成人形，所以未會穿衣？」

「化成人形？」

「你是正平，對吧？在烏江附近那靈驛相遇的奇怪鸚鵡。」

「……你怎麼知道的？」

「聽聲音。」

正平怔住了，須臾才回過神來，用手揉了揉太陽穴，然後大笑起來，說道：「我來找你果然沒錯。」

「找我做什麼？」

「獨行久了有點無聊，所以想尋點樂趣，就打算找個足夠有趣的人同行，去認識一下這奇妙的新世界。」

「新世界？不就是死了的世界？哪裡新了？不過也好，我也是個怕無聊的人，有人同行亦不錯。」

正平再笑了笑，便從石堆一躍而下，走到翊身旁問道：「我能同坐嗎？」

符拍了拍翊，翊無奈地叫了一聲，符才回答：「他說可以。」

「你竟然還會問坐騎意見？」翊邊問邊攀上翊的身上，符往前挪了挪，坐到翊的頸後背肩的位置，而正平則坐到近臀部的地方。
「說來，你是怎麼學會化身人形的戲法？」
「我雖是鸚鵡，卻從來都不是一隻鸚鵡。」
「故弄玄虛。即是說，你本來就是人？」
「對。」
「那你是怎麼變成鸚鵡的？」
「不清楚，大概是在死後第七天左右，我無聊誦讀《鸚鵡賦》時，突然一陣白煙彌漫，然後就變成鸚鵡了，當我再一轉念，認為自己本為人時，就又能化為人了。」
「這樣啊？靈魂的事，似乎就是這麼奇妙。」符轉問：「說起來，你唸的《鸚鵡賦》是禰衡的那篇《鸚鵡賦》嗎？」
「啊？你也對詩詞歌賦有興趣？」
「不，我是對姓禰名衡字正平的傢伙有興趣，聽說他曾在曹操面前裸衣擊鼓，還當眾奚落他手下一干重臣名將，大快人心。」符故作奸詐地笑道。
「我也對那輕率獨行而被行刺，結果面頰中箭，還拖了百日才死的江東小霸王頗有興趣。」禰衡也回以一個狡猾的笑容。
翊無奈嘆氣，心想這趟旅程似乎都將在互相試探和嘲諷的陰陽怪氣下進行。
「昔三代之君，皆在河洛之間。」禰衡望著洛陽破敗的光景，不禁誦吟起《史記・封禪書》中的文句。

符和禰衡相遇後，共乘大虎翊同行了好一段路，卻沒再說話。兩個自大的傢伙，都沉濺在洛陽廢墟散發的情緒中，是哀愁？是悲涼？兩人都說不清。翊踏在洛陽土地上的每一步，都似是青銅鐘響，震盪到心深處。

或許，因為對他們這一代人來說，洛陽不單是滿載歷史的都城，更是歷史的一部分，那被焚毀的頹圮敗瓦，是被摧殘的歷史碎片，而他們所身處的，就是歷史的遺骸。所以傲慢如禰衡之輩，也不禁吟誦章句，以表哀悼，卻沒想到，禰衡才剛讀罷兩句，就生出怪事。

以禰衡為中心的四方，突然彌漫白煙，本來的頹圮敗瓦，在觸碰到白煙後，竟然變回完整無缺的樓房！

「怎、怎麼回事？」禰衡不禁驚道。

符雖也嚇倒了，卻很快就回過神來，他翻身下虎，走到復原的樓房前，伸手一摸，卻穿過了牆壁，然後那樓房就如被攪散的煙霧般化開。

「蜃樓。」符笑道。

「又是蜃樓……還以為自己不知不覺間就變得神通廣大了。」禰衡也笑了。

「不，雖未至於神通廣大，但也很不得了。」符道：「看那白煙，你的蜃樓應該也是氣煉的一種，我都不知道原來還能煉出幻象。」

禰衡也跳了下來，撥弄著自己氣煉出來的假象：「這就是天賦嗎？」

「受不了你。」符說：「那麼說來，莫非你變化成鸚鵡也是氣煉的能力？」

禰衡聳了聳肩。

「若是的話，說不定氣煉能做到的事，比于吉那老頭所說的還要多。」符望著自己躍躍欲試的右手說道，可是他再怎麼凝神，還是沒有動靜。

「有趣。」禰衡也盯著自己那空無一物的手：「但似乎不是那麼容易掌握。」

「先理解一下靈氣的流動，說不定有用？」

於是兩人便邊走邊研究，雖然禰衡很快就理解靈氣的概念，也成功氣煉出一桿毛筆，卻也僅只於此。

兩人在一面半傾的城牆前停了下來。這面城牆之後，就是曾經的皇城，大漢天子的宮殿，但此刻，就只是稍為壯觀一點的遺跡。

兩人一虎跨過城牆，到禁宮探索。

結果自是一無所獲，除了宮女太監的亡魂外，這裡早已看不出宮廷的模樣，莫說龍椅，連大殿，也只能憑散落一地的磚瓦，才能勉強在腦海中拼湊出模糊的輪廓。

符走到曾經的大殿中央，選了堆疊起的瓦礫，望南而坐。

「如何？」禰衡問道。

「荒謬得想笑。」符說。

就在二人一同大笑間，一把久未聞之，卻又熟悉得煩厭的聲音從符身後響起：「兩個小鬼跑來皇宮幹什麼？」

符鐵青了臉，立馬站直身來，回頭望去，卻不是那熟悉的身影。眼前人雖然和印象一般步履堅定，不怒自威，還穿著那眼熟的白袍白甲，但看上去卻只是弱冠之年。

而作為旁人的禰衡，不禁將視線在來人和符之間來回穿梭，並露出難以置信的神色，因為來人和符有八、九分相似。

符想逃，但雙腿卻被釘在地上，而那人望著符，也呆立當場。

「策兒？」那人問道。

符早就預想到，他的這段旅程，必會遇上眼前這人。

倫常是籠，家國是牢，血緣是枷，姓名是鎖。而此人，正是為符、為孫策套上枷鎖，並帶入籠之人。他是孫策前半生的主宰，後半生的詛咒，是無法擺脫的命運。他的一切，都早已深深刻印在孫策的骨髓之中，無法磨滅。

此人，正是孫策之父——孫堅。

符之前的每一個任務，都與孫堅有關，長沙將軍區星、荊州刺史王叡、南陽太守張咨，無一不是孫堅建功立業時拾級而上的階梯；甚至連最初的那錢塘水賊，相信也是讓孫堅踏仕途第一步的胡玉了。

年僅十七的孫堅斬殺胡玉，揚名江東，並因而入仕為官。討伐區星的功績，不但鞏固了長沙太守的職位，更令他受封為諸侯，以賣瓜郎之子的身分，正式步入貴族的門檻。

而王叡和張咨，則因為模棱兩可的理由而被迫死，讓孫堅兵權進一步擴大，成為他參與討伐董卓，進一步飛黃騰達的資本。

按符的預計，他接下來應該會遇上徐榮、呂布或華雄等孫堅遭遇過的對手。而他也的確遇上過呂布及其情人貂蟬，這更讓他確信，這是某人為他鋪設的旅程。這段旅程的目的是什麼？符不敢輕易斷言，但對於這旅程的終點，他卻堅信，必定會是其父親。

所以，孫堅在此出現，完全出乎其所料，畢竟他認為這趟被安排的旅程尚在半途。莫非是因為這次洛陽之旅是獨斷而行，所以影響到那某人的計劃？

這麼說來，批准符休假，並知道其目的地的靈巫，似乎就並非是那某人，因為之前的任務都由他委派，所以本是嫌疑最大之人。

符也懷疑過孫堅就是幕後黑手，畢竟他就是個喜歡為兒子布置考驗，甚至規劃人生的父親。

但此刻，孫堅卻同樣露出驚訝和錯愕的神情。

須臾，孫堅才終於邁出步伐，向著他的策兒一步步走去，並緩緩抬起右掌。然後，狠狠一掌巴向孫策面頰，力度之大，猶如在痛打血海深仇的死敵。

「你才多大？怎麼夠膽這就死了？」孫堅怒吼。

這耳光將孫策打懵了，亦同時將他打醒了。這才是他所認識的孫堅，那個將兒子當成開拓家業工具的父親大人。

數年不見，讓孫策對孫堅變得陌生，也變得怯懦，既不想，也不敢再去面對他。但當恐懼成了現實，往往會反過來，讓人生出對抗的勇氣，更何況，對抗父親是孫策大半輩子都在做的事。

「呸！」孫策將被打斷的牙齒吐出，然後架出不屑且不肖的表情頂撞道：「你的不肖子已經死了，那具流有你血脈的臭皮囊也早就埋葬，在你面前的我已不是你兒子，只是區區一介遊魂野鬼而已，還請你稱我為符。」

「哼，你以為不用我的姓氏，不用我起的名字，就能不當我兒子嗎？天真。」聽到孫策的頂撞，孫堅反倒緩和了起來：「不過，你這牛脾氣倒令人懷念。」

孫堅再度伸出右掌，這次卻不是耳光，而是輕撫，但孫策不領情，一手甩開父親的手掌。

「嘿，果然是我的策兒……」孫堅慈笑道：「對了，你是怎麼死的？家業來得及好好交帶嗎？繼任人是權兒還是匡兒？」

孫策輕嘆一聲，本想賭氣不答，可是想到自己也早非鬧小孩脾氣的年紀，於是回道：「被行刺受傷而死的。季佐還小，我把一切都交給仲謀。」

「怎麼會被刺殺？」

「只怪我的馬跑得太快，手下追不上，讓刺客有機可乘。」

「那時你在幹什麼？」

「以狩獵之名視察偷襲許昌的路線。」

「許昌？」

「曹操將漢帝迎到許昌，所以我想趁曹操和袁紹混戰期間去劫天子。」

「曹操？曹操那小子現在都能和袁紹一爭長短了？真不得了。」孫堅嘆道：「對了，他們那場架在哪打？」

「豫州。」

孫堅恍然大悟，頓了頓才再問：「白馬、官渡那一帶？」

「我死時袁紹剛攻過白馬，進兵到延津附近。」

「那就對了，地點吻合。」孫堅自語道。

「什麼意思？」

孫堅沒回答，而是冷冷地凝望孫策，良久才開口反問：「你為何會從江東北來？」

孫策也早已習慣父親無視自己的提問，所以自然地答道：「沒什麼，想來看看曾經的帝都而已。」

「不，我想問的，是你以什麼身分來這裡，真的是一介遊魂野鬼？還是……」

「就只是遊魂野鬼。」孫策不耐煩地答道，看到孫堅失望垂頭後，得意地笑了笑，然後續說：「同時也是一介無常而已。」

孫堅聞言，馬上抬頭並露出興奮的神情，孫策很久沒見過這表情，那是他父親在謀劃什麼詭計時才會展現的神色。

「既然同為無常，那你也收到司命號令了吧？」孫堅問。

同為無常？司命號令？什麼意思？孫策有點混亂，但細想一下，于吉不是說過，當無常是家傳承諾嗎？那就不奇怪了，但他還是想確認，於是問道：「所以，你也是無常？」

「我都死了六……還是七年？」

「快十年了。」

「已經這麼多年了啊……」孫堅嘆了口氣，然後續道：「十年了，我的魂魄仍在，不就只有兩個可能嗎？」

孫堅面對子女，總喜歡引導思考，他幾乎從不直接解答兒女們的問題，而是用反問來讓他們自行思索。孫策雖然討厭，但自孩提起經歷了十多年，早就成了習慣，即使相隔十年，他仍像本能般馬上受到引導，並答道：「一是成為了冤魂，一是成為了無常。」

「沒錯，但很明顯，我的意識很清醒，對不對？」

「對，所以不太可能是冤魂。」

「不太可能？」孫堅表情肅穆，他不喜歡別人的質疑，更不喜歡模棱兩可的答案。

孫策反倒笑了出來，答道：「因為在你眼前的我，就是那種不太可能之一，半身冤魂半身無常。」

孫堅瞪大雙眼，緩了口氣才說道：「原來你也同樣含恨而終。」

「你……也有一半是冤魂？」

「已過去了。」孫堅握了握拳，道：「身為無常的我，將那身為冤魂的我超度了。」

「那你還是你嗎？」孫策不解地問道：「失去了怨、失去了恨，失去了一半的你，還是孫堅？」

「廢話，驅除了無用、負面的部分後，才是真正的我，才是真正的孫堅。」

孫策用冷漠又帶點憐憫的眼神望著孫堅。孫堅雖了解其意卻無視了，並接著問道：「所以，你還沒超度自己邪惡的一半。那半調子的你，自然沒有收到號令吧？」

「我連什麼是號令都不知道。」

「哼！你的于吉呢？」孫堅不滿地喝道：「他是怎麼教你的？怎會如此無知？」

孫策再次笑了，然後他吹起口哨，一隻灰鴉便從天際飛來，落到孫策的肩上。孫策說：「牠就是你要找的于吉。」

「他……被判刑了？」

「對。」

「犯了何罪？」

「私續凡壽。」

「續誰之壽？」

「我。」

「為何？」

孫策苦笑道：「因為他想讓我抱抱剛誕生的孩兒。」

「你有兒子了？」孫堅先喜後驚：「等等，這算什麼理由？他和你非親非……」

「你猜到了吧？」孫策冷笑：「沒錯，他姓孫——」孫策故意放慢語速，好細賞其父那逐漸扭曲的神情：「——名鍾，即是我爺爺，你老爹。」

孫策本想戲弄一下其父，卻沒想到孫堅竟一臉怒容，殺氣騰騰地踏步過來。孫策以為又要挨巴掌，卻不願示弱不躲不避，睜大眼，鼓著腮，就等著父親的一擊。

孫堅一手伸出，目標卻並非孫策，而是其肩上的灰鴉孫鍾，他狠狠地抓住孫鍾，然後大罵道：「老而不！你連我的兒子都不放過？」

孫策嚇了一跳，他完全沒想到孫鍾會成為目標，更想不到其父對其父的態度，竟然和自己對父親的態度不遑多讓，他不禁心想，莫非孫家的血脈裡都刻上了仇父的印記？

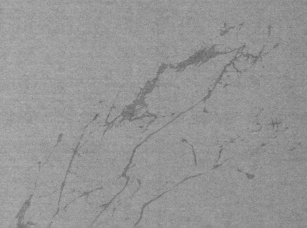

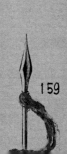

龍脈 十五

灰鴉不斷拍翼踢爪，卻始終掙脫不了孫堅的五指，甚至開始發出淒鳴。孫策沒想到孫堅竟會對孫鍾如此重手，所以待灰鴉奄奄一息時，才想起出手解救。他一手握住孫堅的手腕，另一手從下而上，托起孫堅的手肘，方讓其手稍稍鬆脫，讓灰鴉有了可乘之機，馬上飛上青空，逃之夭夭。

「你瘋了？爺爺可是你爹啊！」孫策難以置信地喝道。

「我當然知道他是誰，不知道他是何人的是你！」孫堅怒應。

「那你跟我說啊？你不說，我怎知你們的恩怨？」

孫堅漲紅了臉，青筋暴現，卻只是乾瞪著眼，一副有口難言的模樣。兩父子就這樣互瞪著對方，各不相讓，僵持對峙。

須臾，快被遺忘的禰衡才開口問道：「你們還要瞪多久？」

「你是誰？」孫堅問。

「在下禰衡，是個四處遊歷的閒魂。」禰衡單刀直入地問：「若你們的家事一時三刻無法解決，可否請閣下先行解答另一個問題？」

聽到禰衡的話語，孫策不禁笑了，僵局由此化解，他識相地後退數步，讓孫堅直面禰衡。

「什麼問題？」孫堅面色稍緩。

「閣下方才提到的司命號令，到底是什麼？」

孫堅從上而下掃視禰衡一遍，然後才答道：「所謂司命號令，自然是司命大人所發的號令。」

禰衡不屑一笑，再咄咄逼人地追問：「以閣下眼光見識，應當知道在下問的是號令的內容。還是在下誤將閣下看得太高？莫非閣下只是沾了兒子之光，才能擺出一副高高在上的姿態？」

孫策笑得更開心，卻沒想到，竟然連孫堅都笑了。

「不愧是這臭小子的豬朋狗友。該說你是目中無人，還是膽色過人？」

「可惜都不對，因為在下已不是人了。」

「有趣，有趣。」孫堅正色道：「司命號令本不可向外人透露，就連同為無常，卻未夠資格的這臭小子都不可說半句，但憑你這嘴皮功夫，我就破戒一次。」

孫策和禰衡屏息以待。

「這次號令是召集令，凡收到號令的無常，均須從速趕到官渡。號令內文僅此而已，沒有再多半句。」孫堅徐徐說道。

「官渡，那不就是袁曹之爭的戰場嗎？」

「沒錯，剛才得知後，我大概猜到這次召集的目的。」

「黃巾賊的亡魂……不，該說是黃巾賊的真面目——黃肩軍，對吧？」禰衡說。

「你怎麼知道的？」孫堅問。

「不是說過了？我正四處遊歷，不論大江南北，都有那幫黃肩軍的身影，早前還有一批向荊南進發，不知有何陰謀。」

「荊南那批被我收拾了，帶頭的正是被你老迫死的王叡和張咨。」

「那就對了！」孫堅睜大雙目：「我果然沒猜錯！」

孫策和禰衡同露出不解神色。

「王叡和張咨都是董卓的爪牙，他們就是董卓安插在荊州，以妨礙諸侯聯軍集結。」

「這我知道，張咨魂飛魄散前向我招供了，但那又怎樣？」

「本來只是懷疑，但知道王叡和張咨那兩個不學無術之徒，竟也能成為黃肩軍的帶頭後，我就確信了。董卓死後被張角兄弟招攬，甚至成為了黃肩軍的統帥！」孫堅握拳道。

「莫非老頭子你認為司命號令與他們有關？」

「毋庸置疑，畢竟黃肩軍是史上首次出現的亡魂軍團，是司命和無常們的頭號麻煩。但在此前，他們都漫無目的地結集，然後又散去，全然摸不定他們的用意。」孫堅說：「然而，在董卓死後不久，他們的行動就變得有組織，也更易猜度。」

孫堅續說：「他們近來都聚集在激戰後的戰場，恐怕是在招降新死的亡魂。而這次的目的地，定是袁曹之爭的主戰場，所以司命大人才會發動號令。」

「那王叡和張咨到長沙又有何意義？啊，莫非是疑兵之計？」

孫堅望著兒子，自豪地笑了笑。

「是要和黃肩軍決一死戰？」孫策蠢蠢欲動：「我雖沒收到號令，但能否一同前往？」

「閣下……不，孫公收到號令後，卻沒有馬上趕往官渡，而是特地繞來洛陽，相信是另有打算吧？」

孫堅一驚，然後笑道：「沒錯，我不打算到官渡。」

孫策本想問為何，但沒等嘴巴張開，已理解孫堅的意圖，於是改口說道：「擒賊先擒王？」

「沒錯！不愧是我的兒子！」

孫策神情厭惡，皆因孫堅所說的是他最討厭的一句話，但孫堅卻毫不察覺，只自顧自陶醉在自豪當中。

正當孫策和禰衡不耐煩，打算追問時，孫堅卻早一步回到正題：「依我線報，董卓十之八九就在郿塢。」

孫策聞言失笑：「就因為他生前住在那，你就認為他死後還在那嗎？」

「若你只有這般見識的話，可以滾了。」

孫策不屑地蔑了蔑嘴，卻也沒說什麼，只環手抱胸，準備靜聽。孫堅續道：「若董卓只是為防禦，何必另築郿塢？郿塢再堅固，也及不上長安城，不單地勢不利，亦易被包圍，閉門固守後，糧草補給更是難以維持。」

「的確是個死地。」

「我以前也不了解董卓為何要建郿塢，他雖然壞事做盡，卻並非膽小怕死又愚鈍的小人，反倒是敢與天下為敵的豪傑。」孫堅說：「待我死後，成了無常，對於這靈世的事有了認識，才明白董卓建郿塢的目的。郿塢是片陰地，易於聚集亡魂。」

「這雖然可疑，但也不能就此斷言董卓的所在吧？」

「沒錯，但加上早前，我的友人，另一位無常，在往長安執勤後失蹤，才讓我斷定郿塢必有古怪！」

「說到底也僅是有古怪而已，董卓是否真的在那，甚至他是否真的和黃肩軍有關係，也只不過是老頭你的猜測。」

「但這份古怪，已值得親身去確認。」一直旁聽不語的禰衡突然說道。

「這我倒認同。」孫策回道。

「哈哈，那馬上去郿塢一探究竟！」孫堅話畢，便雀躍地舒展手腳，準備大幹一場。

「孫公，我有一言，並非示弱，只是直述。」禰衡語氣突然嚴肅，讓孫策嚇了一跳。

「說吧。」

「我和符化靈不久，力量微薄，跟你一同前往，只怕會成為孫公的負擔。」禰衡繼續拿腔作調，但孫策聽來，在滑稽之中，卻隱藏著一份陰森。
孫堅板起了臉，搬出一副冷峻的表情，瞪著禰衡，瞪得他不禁直冒冷汗，才問道：「你察覺到什麼了？」
「不可能不察覺吧？」回話的卻是孫策：「只是我習慣了老頭子你凡事有所隱瞞，才沒去追根究底。」
「說。」孫堅冷道。
「若你的目的地只是郿塢，何必繞來洛陽？」孫策答道：「若是他人，可能是為了緬懷當日情懷，所以在決戰前夕重遊舊地，但老頭子你卻不是這種人。」
「繼續。」
「恐怕是因為洛陽此地，擁有某種東西，值得讓老頭子你特意繞路來一趟。」
「你熟知老子為人，會察覺不奇怪。」孫堅轉眼望向禰衡：「倒是你。」
禰衡抹了抹額上的冷汗，然後張開手掌，蓋在半根破爛的柱子上，一陣白煙籠罩，柱子竟變回原樣，令孫堅出了出神。
「來洛陽前，我雖能化身鸚鵡，卻做不到這樣的事。」禰衡反過來瞪著孫堅，追問：「那我只能認為，洛陽此地，即使成為了廢墟，卻仍隱藏著什麼，能令我引發蜃樓。而那應該就是孫公你特意來洛陽的原因吧？」
孫堅的冷峻表情突然化成過於熾熱的笑容，他走過孫策面前，卻用手臂挪開了他，然後在右腳上凝聚靈氣，一腳踢開方才孫策坐著的瓦礫。

孫策和禰衡無暇糾結孫堅為何能以亡魂之軀踢開現世之物，皆因那瓦礫下方噴湧出一股無比澎湃，猶如巨風、又似海溢的靈流，讓二人幾乎連自己都形體都維持不住。

「老子重臨洛陽，就是為了再拜會祂——」孫堅在靈流肆意衝擊下，仍只顧凝望瓦礫下方的深處，並徐徐說道：「龍脈！」

「龍脈？又是什麼東西？」

「你們都見過靈脈吧？」孫堅反問，二人點頭作答。

「龍脈就是被皇家困住的靈脈，用以為增強國運。」

孫策環顧破敗的皇城，冷笑道：「明顯沒用嘛。」

「只因人間對靈學的研究衰落，漢室徒得靈脈，卻不懂善用，再生猛的龍，被困住一、二百年也奄奄一息。」

「那這垂死的龍脈還有什麼用？」

「雖說垂危，也不過是無力支撐一國運勢，對一般靈魂來說，仍是龐然大物，剛才你們都感受到了吧？光是升騰的靈流，已幾乎將你們衝散。」孫堅雙眼閃爍著貪婪的光芒：「但相比起流動的靈流，祂其實溫柔萬倍，只要有足夠意志，躺臥在其中，就能汲取源源不絕的靈力，只要撐得上半天，更勝十年修煉！」

孫策和禰衡都怔住了，須臾，孫策方開口問道：「代價是？」

孫堅笑了笑：「沒有，只要你定力足夠，能維持自我的話。」

「若果定力不足的話……」禰衡說：「就會魂飛魄散，成為龍脈的一部分？」

「沒錯，這是一場豪賭。」孫堅笑意更濃：「你們敢嗎？」

孫策毫不猶豫來到洞邊，然後回頭問道：「只要跳下去就行了？」

只見孫堅點頭示意，再張口欲話，孫策卻已經一躍而下。

穿過狹小的洞口，孫策輕盈著陸，洞下是一個殿堂般的碩大空間，由過千根岩柱撐起，四周是磨得光滑的亮黑石壁，有四、五丈之高，比上方的大殿還要廣闊，但形狀狹長，似是走道，向南伸延，幾近與整個洛陽城同長，而在盡頭，則是一道厚重的城門，這就是龍脈的囚牢。

突然間，一陣白霧湧現，沒等孫策反應過來，已將其吞沒。

孫策卻毫不驚訝，因為他感覺到這股霧早已圍繞著他，現在只是有了顏色，而並非突然出現。又或者說，並非白霧圍繞著他，而是他躍入了這團霧之中。

這團充斥整個洞穴的迷霧，就是龍脈本身。

龍脈的顏色越來越濃厚，甚至填滿孫策的眼眶，以至身體的每一分寸，令他看不清四周。

孫策瞬間察覺自己正在分解，並開始融入龍脈之中，所以他馬上凝神聚氣，總算是維持住了自己的魂魄。

然後，孫策開始聽到奇怪的聲音，先是嗚嗚微響，然後變成喃喃自語，最後終於清晰可辨——

「未能事人，焉能事鬼？」
「道為何？可道之道尚可算道？」
「儒以文亂法，俠以武犯禁，而人主兼禮之，此所以亂也。」
「今子有大樹，患其無用，何不樹之於無何有之鄉？」
「小說家者流，街談巷語，道聽途說。」
「朕號始皇，天有千秋，大秦萬世！」
「王侯將相，另有種乎？」
「天之亡我，我何渡為！」
「陛下所使取者，皆天下之藥，不能使人不死，唯天上藥，能使人不死。」
「時不可留，眾不可逆。」
「蒼天已死，黃天當立，歲在甲子，天下大吉！」

孫策只覺有千言萬語一口氣湧入腦中，似要把自己的頭腦翻騰幾千幾萬遍，難以承受，同時亦再難以集中思緒。驀然間，一把熟悉的聲音，將孫策從這萬語千言的洪流中撈了起來。

「別慌張！董卓我們都打敗了，何況這區區一場火？」

孫策突然豁然開朗，只見眼前烏煙騰空，烈火洪洪，洛陽城正在焚燒，而一個身披白袍白甲的將軍，正在有條不紊地指揮將士撲火，這人，正是孫堅。

瑰寶

十六

老頭子，怎麼回事？

孫策本想如此開口，卻發現只有雙唇虛張，無法作聲。

孫策卻沒有慌亂，先是細察四周，發覺眼前景象的質感似曾相識，如蒙上層薄紗般，火光亦比印象中更柔和。

若非見識過禰衡的伎倆，或許孫策就不會發現，自己身處幻象之中。

「這是龍脈在戲弄我？」孫策心想：「還是……」

孫策望看孫堅，只見他一舉一動都充滿生命力，甚至比孫策記憶中的身影還要更栩栩如生。

「……記憶在重現？」

孫策邁出腳步，走向孫堅，才踏出第一步，就發現自己的腿幾乎毫無感覺，雖然靈魂狀態也是輕飄飄的，卻還是有類似觸感的感覺。孫策踏著虛無的腳步，來到孫堅的身邊，面對自己的父親。

那是一副孫策更為熟悉的面容，歲月鑿了幾道尚未深刻的皺紋，嘴巴附近長了一堆雜亂的鬍子，神情雖帶疲憊，雙目卻仍然如炬。

這才是孫策印象中的孫堅。

孫策按捺不住，向父親那堅毅的臉龐伸出右手，然後，一拳揮過去！

只是，這拳也如腳步一般，毫無重量，空虛地穿過孫堅的臉頰，沒泛起半點漣漪。

「呼……」孫策晃了晃落空的拳頭，苦笑道：「看來我只能當個看客。」

「焚燒的皇城，率領大軍的老頭子，毫無疑問，這裡就是初平二年的洛陽了。」孫策抬頭向天，徐徐問道：「初平二年……龍脈，你想讓我看的，是老頭子最不堪入目的一刻？還是步向終結的一刻？」

於是，孫策便沉默下來，投入到孫堅的過往之中。

不知過了多久，洛陽城的大火終於熄滅，但與其說是被孫堅及部下撲滅，更像是城裡上下都被燒了個遍，已經再無可燃之物。

孫堅疲憊地倒坐街道上，望著眼前的頽圮敗瓦，卻沒有半分失落之情，他呼了口氣後，大聲喚道：「君理！」

不遠處，一個攤倒在地的校尉掙扎地爬起身，擺著踉蹌的腳步，歷盡艱辛才來到孫堅的面前，用微弱的聲線問：「怎了？」

來人乃是朱治，字君理，孫堅的心腹，亦是摯友，自討伐黃巾賊起已在孫堅帳下，即使孫堅戰死後，仍傾力輔助孫策，更在孫策猶豫是否離開袁術陣營時，力陳利害，是孫策能稱雄江東的一大功臣，也是一個非常可靠的前輩。所以當孫策見到他時，心裡不禁泛起一陣與親人重逢的溫暖，即使是再遇孫堅，也不曾有這樣的感覺。

「傳令下去，叫手足們爭取時間，狠狠地給老子休息，待聯軍的補給一到，我們就去追姓董的那頭肥豬！」孫堅道。

「去你的，是想要了我們的命嗎？」朱治沒好氣，靠著身旁燻黑的牆，任由身體被地板吸引，緩緩攤下，不滿地道：「連續撲了幾天的火，連你這頭野狗都受不了，何況我們。」

「所以我才叫你們狠狠地休息啊，豬糞腦袋！」

「休息要如何狠啊？狗屎將軍！」

兩人的態度和面對自己時截然不同，尊嚴、威信那些只屬於長輩的架子，都不知丟到哪去，讓孫策忍不住笑了。

休息了整整一天，孫軍終於恢復生氣，開始在洛陽城廢墟中搜索，看能否發現什麼可用之物。

孫堅則在朱治的陪同下，來到城外的瞭望台，盼望著東方，等待援軍和糧草補給。雖然攻關洛陽的過程慘烈無比，先後對陣董軍最強的三員猛將以及董卓本人，尤其是被徐榮突襲的慘敗，幾近耗盡孫軍士氣。孫堅卻憑著殘餘的敗兵，重整軍容，先擊退飛將呂布，再斬殺董軍都督華雄，及後更在先帝陵墓一役中擊敗親征的董卓，成功將董軍趕往長安，令軍隊士氣從低谷反彈至天際。

只要藉著這鼓氣勢，孫軍將戰無不勝，就算西楚霸王再世，亦未必能擋，何況是敗走的董軍？

但士氣會隨時日消耗，再濃厚的戰意，也敵不過無所事事的每日。

一天，一天，又一天。

援軍仍未見蹤影，反倒是孫軍的軍糧就快要見底。

這期間孫堅不斷派人前往諸侯聯軍的本營催要糧草補給，卻全都落空。

「和之前一樣呢。」朱治挨著瞭望台的欄杆，無奈地說道：「在進軍洛陽前，袁術不也扣起過我們的兵糧嗎？看來又要你親自再跑一趟。」

孫堅默不作聲，只緊握欄杆，不一會，木欄竟然拍刷一聲，被孫堅徒手捏斷了，木刺亂飛，有好幾根更插進孫堅手裡，他卻視若無睹，仍然堅握染血的拳頭。

「不，這次不一樣。」任誰都看得出孫堅怒氣沖天，其聲線卻相當冷靜，甚至是冷漠，語調中那股陰森的寒意，比他的怒火更讓人顫慄，他接著說道：「我總算是看清這班諸侯……不，是看清楚這個世界了。」

孫堅轉身，望向洛陽城的遺骸，露出厭惡的神情。

「走吧。」孫堅冷道。

「走、走去哪？」

「尋寶，找出所有值錢和有用的東西，然後回長沙。」

「我軍不是明令禁止搶掠平民百姓嗎？」

孫堅向著洛陽城揚手，反問：「你見這裡還有平民嗎？」

「可、可是……」

「我只是將無用之物化為刀刃，好讓將士們能繼續作戰。」

「那為什麼要撤退？」

「因為我的戰場已不在這裡。」孫堅閉目道：「不，應該說，我終於明白孫鍾那老不死的意思，沒錯，我的戰場從來不在眼前。」

「那在哪？」

孫堅不答，而是先一步走到城門，望向城內一眾等待來援的將士，孫堅用勁鼓掌，引起眾人注目，然後指天高喊：「我的戰場是整個天下！」

眾人大感疑惑，卻不知為何，心底竟生出一股熱潮。

「我本以為，征伐逆賊，建功立業，並當上諸侯，就是我一生所求。」孫堅笑望朱治，卻不再是往昔那種屬於戰友之間，肆無忌憚的笑意，而是令人無以名狀，虛無，縹緲，卻又令人信服的笑容。然後，孫堅再將這份笑容投向眼前的每一個將士，續道：「但被數次背叛後，我終於看清那班諸侯的真面目。

他們位高權重，以忠臣自居，口裡掛著旦旦信誓，但真到了要盡忠盡義之時，卻避之不及。即使組成聯盟，亦毫無作為，寸步不移，就因為他們根本不打算勤王，根本不打算討逆！

他們根本不在乎什麼正道、大義，只要不影響他們利益，不奪走他們的地位，誰當皇帝都沒意見，所謂討董聯盟，也只是為了互相叨光，擺擺姿態。莫說討賊，他們最怕的就是有人成功討賊，獨攬全功，所以才會三番四次阻撓我軍。畢竟，大漢傾頹，所有諸侯都責無旁貸，他們每一個都是罪人！」

本來疑惑的將士們，不知何時開始全神貫注地傾聽，而在此刻，更是不禁跟隨孫堅高呼著：「罪人！」「都是罪人！」「全都是罪人！」

呼喊聲此起彼落，士氣如虹，更甚於擊退董卓之時。

整個洛陽城，似乎只有屬於另一個時空的孫策，聽懂了孫堅的本意，那份說不得的大逆之念，真正萌芽了。

寒氣漸遠，春意正濃，漫山樹綠花紅，蟲鳴鳥啼，更讓殘破的洛陽城再多添幾分蒼涼。

城裡兵馬已少了大半，皆因糧草不繼，所以孫堅安排將士按傷勢和年齡，分批撤退，現在餘下的，都是經驗不足，卻精力旺盛的新兵。

「將軍！前方那大宅發現地窖，裡面存有不少黃金！」幾個年輕士兵興奮地飛奔相告。

「做得好！」孫堅大笑，然後用力地揉了揉每一個士兵的肩頭以示嘉許，士兵們既驚且喜地作揖還禮。

孫堅吩咐那些士兵去搬走黃金後，朱治才不懷好意地走來，嘲弄道：「又收服了幾個小伙子的心啊。」

「不然我為什麼要留新兵殿後？」孫堅笑道。

朱治看到孫堅的笑容，不禁釋懷：「呼……果然，文臺仍是文臺。」

「什麼意思？」

「那天的你像變了個人般，我以為永遠都再見不到你這樣的笑容了。」

「哈哈，江山易變，本性難移嘛！」孫堅的大笑聲，感染了周遭將士，加上這幾天的收穫，讓笑意不住擴散開去，洛陽城不知有多久沒沐浴在歡樂之中。

但當孫堅遠離人群後，臉容又頓時寒了起來，他摸著剛才發現地窖的大宅外牆，按著地勢和牆磚的材質，估摸著這座大宅又是屬於哪位位高權重的大臣，然後默默記下，又一個中飽私囊的狗官名字。

入夜，孫堅漫步回城西軍營，打算好好休息，然後再待個幾天，就全軍班師。在途中，卻不斷收到搜括出財物的消息，讓孫堅感嘆年輕將士們驚人的體力，還有朝廷高官的腐朽。

洛陽城裡，在眾多金銀珠寶中，竟有一件，是連孫堅作夢都不敢想的天下瑰寶。孫堅和那瑰寶的相遇，正是這晚。

酒喝多了急著小解的朱治，在掀開一口封閉的枯井時，卻被一道直沖天際的虹光嚇得跌坐在地。雖然那道虹光一閃即逝，卻足以吸引孫堅的目光。

「酒醒了沒？」不知不覺間，孫堅已摸到枯井處，並向還未緩過神來的朱治伸出援手。

「你、你來這幹什麼？」朱治仍然混亂，卻不知是酒醉，還是那道異光的緣故。

「突然出現那麼粗大的一條光柱，誰都會來看看吧？」孫堅抓住朱治的手，輕鬆地將他拉了起來。

「你也看到？還以為是幻覺……」朱治感到四周都在打轉，令他站都站不穩，但在孫堅眼裡，就只是朱治自個在打轉。

「那道光到底是從哪裡冒出來的？」孫堅左顧右盼。

朱治總算站穩，然後說道：「我只是想來撒個尿……」

「放狗屁！」孫堅笑道：「你的尿會發光啊？」

「我還沒說完啊……」朱治沒好氣地道：「我見這有口被木板封住的枯井，就打算借用一下，沒想到一掀開木板，就射出那道光了。」

「周遭幾乎都被董卓那把火燒成灰，但這塊木板竟完好無缺，有夠奇怪。」孫堅好奇地摸了摸那塊木板：「這是什麼木？杏木？又有點像桃木……」

然後，孫堅探頭井內，發現竟藏有一行木梯，於是他決定下去一探究竟。

「等等，你想幹什麼？」

「還用問嗎？當然是探險。」

「你忘了自己是一軍之將、一城之守嗎？豈能輕易做出這種可能身陷險境的事？」朱治氣道。

「你才忘了，要我提提你我那四個兒子的名字嗎？」

「策、權、翊、匡，怎可能忘記？」

「那不就行了？」孫堅笑道：「我早就為他們定好前路並各學其法，無論統率孫家軍還是管治長沙，都自有人接手。」

「說到底，你就是不下去看看不罷休吧？」

「廢話，你拉完尿就跟上來吧！」說罷，孫堅便爬了下去。

井比想像中深，向下爬了一、兩丈，都還沒到底。

再爬三、四丈，孫堅的腳才踏到地面，而且意外地乾爽。孫堅拿出燧石，撞出火星，點燃了插在腰間的包棉火把，照亮井底。

比起井底，這地更像是個狹長的走廊，兩邊是光滑的亮黑石壁，盡頭是道和牆壁同色的鐵門，若不是被打開了，恐怕難以察覺是道門。

孫堅毫不猶豫跨門，門後是一個火把照不到底的碩大空間，似乎是由岩柱撐起，身旁盡是同樣的亮黑石壁。

這空間的中央，有一塊方形物體，散發著不同尋常的虹光。孫堅走過去，拿起察看，感覺像塊玉，卻又不同尋常玉石般滲著寒氣，反倒是帶點微溫，這東西崩了一角，由黃金補上，頂部雕有五條紐成一團的龍，底部則刻有「受命於天，既壽永昌」八字。

傳國玉璽。

玉璽

十七

「那是什麼東西？」跟著來到井下的朱治問道。

孫堅先向朱治展示手上瑰寶，然後鄭重地回道：「是玉璽！」

「不，我是指地上那一團……」朱治指著孫堅跟前。

孫堅望過去，才發現一塊紫色披肩，蓋著一團人形物體。

「是人？我怎麼留意不到？」孫堅立馬掀開披肩，被蓋著的果然是個人，而且是個上了妝的女人，雖然兩頰撲上胭脂，仍難掩失去血色的臉容，孫堅為她把脈，卻毫無迴響。

「她死了好一段時間。」孫堅道。

「她是誰？怎麼會抱著玉璽死在這種地方？」

「只能是宮裡人，不知是宮女還是妃嬪。」孫堅目光又再回到玉璽之上：「總之先把她的遺體帶回去吧。」

朱治應答了一聲，然後抱起屍首準備離開，卻發現孫堅像被玉璽攝住了魂，便憂心地問：「文臺，這玉璽你打算怎麼處置？」

「還沒想到。」孫堅輕撫玉璽的底部，用指尖感受「受命於天」數字的起伏。

「要不，用它來向聯盟交換糧草兵馬，那不就能繼續追擊董卓了？」

「太遲了，兄弟們的士氣早就洩光，沒聽過曹劌的故事嗎？」孫堅的指尖遊走在那五條龍的鱗片上。

「那，乾脆就先放在這？我們把剛才那鐵門關上，想必沒人能發現它。」

「我們這幾天不斷挖那些貪官私藏的地窖，搜刮遺漏的財寶，不就為了增強我軍力量嗎？現在難得找到一件天下瑰寶，你卻想留在原地，失心瘋了？」

「就是因為它太沉重，若被袁氏兄弟知道我們私藏玉璽，說不定下一個天下公敵就是我們。」說著說著，朱治身體開始微微顫動。

「天下公敵……」孫堅說著說著，不禁大笑起來：「你看看當今的所謂天下公敵下場如何？沒錯，是被我們擊退了，可是卻毫髮未傷，帶著天子、高官、富賈還有一大堆洛陽居民遷都到長安，繼續著他那奢華無道的生活，而負責討伐這天下公敵的我們呢？卻被那些高舉大義旗幟的狗屁四世三公名門權貴扯著後腿！」

「大義，大義。」孫堅緩了口氣，然後撫弄玉璽上的金角，徐徐說道：「聚在一起高舉所謂大義的旗幟根本毫無意義，只有贏，才是真正的大義。」

朱治不單無言而對，甚至漸漸被孫堅所說服。

「君理，這事我從沒對別人說過，因為太荒謬，但現在我卻有了新的體會。」孫堅將玉璽捧在掌上：「我那賣瓜的老頭子曾對我說過，他和司命郎有過交易，用三個瓜兒換來帝皇之命。」

朱治不禁咽了咽沫，雖然他也覺得荒謬，但他眼前此人，其身姿、其威容、其功動、其戰績、其身上隱隱滲出的氣勢，還有手上那尊閃爍著虹光的玉璽，都令這可笑的故事變得無比真實。

「當然，我並不相信這荒謬的老人之言會成真。」孫堅自信笑道，背後彷彿閃耀著斑斕金光：「只是，何不反過來，由我來將這戲言變成事實？」

朱治對於將要成為天下公敵的寒意盡散，這一刻，他只想跪下，深深叩首拜服，但他卻強忍下來，因為要待那一刻真正來臨，他的跪拜才會有意義，而他現在要做的，就是跟隨孫堅，將世上最荒謬的胡言成真。

然而，這時的孫堅尚未知道，其父親孫鍾對他所講述的司命郎故事，其實並不完整，而那三個瓜兒所指的，亦並非孫鍾所賣的瓜，當然，他更不知道，這世界除了活人，原來還有更多更多無以名狀之物。

孫堅再撫弄了一會玉璽，才扯下披肩一角，將之小心翼翼地裹好，然後珍重地放入懷中，再加快腳步，跟上先行一步的朱治。

孫策亦準備繼續隨行，卻在跨過鐵門之際，被一隻不知從何而來的手抓住衣襟，沒等孫策掙扎擺脫，那隻手已將他整個人抽起。

孫策感到自己像是浸在水裡一般，被突然拉起，才發現自己一直無法呼吸，整個人難受得無法形容，雖似溺水，卻沒有那種閉塞的窒息感，反倒像是身體裡的血液、內臟，都在向外逃竄，離開了後，又變成五臟六腑硬要鑽回身體裡一般。

「不聽老子話，現在吃大虧了吧。」年青的孫堅吃吃笑道。

孫策想反駁，但身體的狀況令他連呼吸都不順暢。

「先別急。」孫堅把手放在孫策肚子上，然後緩緩地運氣，並道：「記憶錯亂了吧，怎麼把胎光捏成五臟六腑的模樣？你已經死了，快回想起胎光本來的樣子，不然就無法呼吸靈力，只會持續痛苦。」

「……胎光？」在孫策的話說出口之際，胎光已早一步回復到雙魚互逐的形態，才讓他的呼吸變得順遂，得以發聲。

「你知道現在在哪嗎？」孫堅問。

孫策揉弄著太陽穴，用力地回想：「只、只記得我跳到龍脈裡去……」

「沒錯，那你可知你在龍脈裡泡了多久嗎？」

「大概七、八天吧？」孫策答。

「若真泡上七、八天，你早已成為龍脈的一部分了。」孫堅嘲諷道：「你一跳下去沒多久，我就把你拉回來了。」

「可是……我怎麼感覺過了好幾天？」孫策點指計算時日：「由洛陽大火到在井下撿到玉璽……」

「玉璽!?」孫堅緊張地追問：「你怎知道是在井下撿到的？」

「在龍脈裡看到的。不是泡到龍脈裡就會見到過去的事嗎？」

「不，我泡進去時就只感覺到靈力的流動。」孫堅仍然神色凝重。

「問問禰衡那傢伙吧，我在龍脈裡看到的景象和他的蜃樓有點像。」孫策左顧右盼，尋找禰衡的身影：「人呢？」

「在泡龍脈。」孫堅指了指身後的洞穴，然後冷笑道：「放心吧，他下去前我已經交代好，要如何透過控制呼吸來維持自我，不然就會像你這樣，靈魂被龍脈吞噬了都還懵然不知。」

孫策無言以對，也不想動氣，所以就靜下來，專注地調整呼吸，卻感覺到異狀。

「怎麼了？」孫堅察覺到孫策奇怪的神情，於是問道。

「有點怪怪的，該怎麼說……」孫策思索著言語：「呼吸的節奏好像變慢了，但每次吞吐的靈力卻又變多了？」

「畢竟泡過龍脈，雖然時間不長，未足以增加本身的靈力，卻增加了呼吸的量。」孫堅分析道。

「這有何用？」

「不清楚，大概是更易透過呼吸補充靈力吧？」孫堅攤手道。

孫策咂了咂舌，然後繼續調理呼吸。

不知過了多久，孫策的意識漸漸集中，就像瑟縮成一團般，然後，本來寂靜的四周，開始傳來各種聲音，有人語，有獸鳴，有淒慘的嘶叫，也有高昂的呼嘯，但感覺都在相當遙遠的彼方，難以聽清。

孫策不自覺地將意識集中在耳朵上，嘗試聽清這些不知從何而來的聲音，但那些聲音彷彿發現了孫策在傾聽它們，於是立馬作鳥獸散，四周又回復清靜。

正當失落的孫策準備放棄時，一聲清脆的銅鐘聲就在身後響了起來，雖然響亮，卻不吵耳，在這鐘聲中，孫策聽到一把熟悉的聲音，是禰衡的聲音。

可是孫策聽不清禰衡在呼喊什麼，聲線卻透露著不安、徬徨，還帶著筋疲力盡的感覺。

孫策立馬跳了起身，然後向著龍穴拔足狂奔。孫堅嚇了一跳，直至看到孫策將半個身子探到龍穴內，才急得彈起來。

沒等孫堅過來，孫策已從龍脈裡撈出一具不完整的人形，幾乎失去整個右半邊的身體，卻不像是被切開，而是溶解。

是禰衡。

「怎麼可能!?」孫堅驚道：「他不過泡了兩三個時辰，怎麼就變成這樣？」

「你是如何得知半天這界限的。」孫策出乎意料地冷靜，冷得連聲線都滲著寒意。

「親身經歷。」孫堅答道。

孫策一把揪起孫堅的衣領，把他整個人都舉到半空，孫堅卻沒有反抗，只是擺出一副「又來了」的無奈神情。

「你總是這樣，以為自己辦得到的事，就每個人都辦得到。」孫策的語調變得更寒更冷。

「雖然你總是不聽話和愛鬧情緒，但不總是跟得上老子的步伐嗎？」孫堅仍然是一副無可奈何的樣子。

「我不是說自己。」

「說不定，就是因為作為長子的你，總能滿足我的期待，我才會用同樣的態度對待權兒、翊兒他們吧？」孫堅笑道。

孫策這才察覺，自己的怒火並不單單為禰衡而燃起，還為那幾個多次被父親迫入死地的弟弟。

「畢竟我們自出生起，就被你用名字囚禁在命運之中。」孫策放鬆了雙手。

孫堅浮現出一抹有難言之隱的神情，卻一閃即逝。

「先別囉唆，救醒他再說吧。」孫堅望向奄奄一息的禰衡。

孫策雙眼瞪得老大，整個人都定住了。

「別發呆，來幫手吧。」孫堅催促道。

「這……」孫策望著快融的禰衡，難以置信地問道：「……這還能救得了？」

身為亡魂的我們，到底是什麼鬼東西？孫策心想。

眷顧

十八

人死後會成為魂魄。

但魂魄又是何物？

雖然孫策曾剖開亡魂的腹部，掏出過內臟，然後再塞回去，那儀仗兵亡魂卻仍能行走如初，但畢竟還維持著人的形狀，所以他雖感到不妥，卻沒深究。

然而，當下，只見孫堅不斷從龍穴撈出些濃稠如漿的靈力，並澆到那具不成人形的東西身上，禰衡竟然就此慢慢地長回融化的半邊身體。

眼前的情景，令孫策不得不思考，亡魂，或者說，現在的他——

「我們……到底是什麼？」孫策問道：「所謂魂魄到底是什麼鬼東西？」

「問的什麼。」孫堅語帶不屑：「魂魄不就是人死後的樣子？」

孫策也曾如此認為，但現在，這答案對他來說已不足夠，他作為魂魄存在，雖不過數月，卻已隱隱感到，魂魄並非人的附屬。雖然大部分亡魂都渴望輪迴，重生為人，彷彿魂魄就只是個驛站，是目的地中途的一個中轉站。

孫策此刻卻深深覺得，魂魄不僅於此。

就在孫策陷入沉思之際，禰衡已回復了大半，開始重新呼吸。

「咳咳……」禰衡咳出些許塞在喉頭的靈漿，亦似乎回復了意識，將孫策從沉思中拉了回來。

「清醒了沒？」孫堅問：「你知道現在在哪嗎？」

禰衡艱難地坐起來，望了望孫堅，然後左顧右盼，發現孫策，然後再左顧右盼，接著再望了望孫堅，問道：「你們……是什麼人？」

孫策不禁一寒，不單因為禰衡不認得自己，還因他說話的腔調，完全沒了他一貫的目中無人，而是平淡得如布衣白丁。

「我……」禰衡垂首，望著自己雙手，再問道：「……又是誰？」

「失憶了麼？」孫堅不禁咂舌。

「不。」孫策閉目沉道：「不是失憶那麼簡單。」

「什麼意思？」孫堅雖在問，語氣卻不夾雜一絲關切。

「他體內有雜音。」孫策伸出兩指，探到禰衡的頸脈上，感受靈力的搏動：「而且有很多，不屬於禰衡的雜音。」

孫堅定神望向禰衡，然後再望向孫策，問：「你覺醒了什麼方技妖術嗎？」

「妖術？」孫策雙目微張，這才發現自己的不尋常，然後回想道：「說來，自醒來後，就總覺得周圍多了很多噪音……」

「然後，你還能進一步，聽到這小子體內的聲音嗎？」

「對，我隱約聽到他本來的聲音，卻被很多很多的雜音包圍，所以變得微弱。」

「哈哈，那總算沒白費帶你來泡龍脈的心機！」

「這是……」孫策輕揉自己耳朵：「龍脈所賜的力量？」

「不。」孫堅拍了拍兒子的肩頭道：「是龍脈激發起了你原本就有的能力。」

「那老頭子你的能力又是什麼？」

「嘿，待到了鄖塢再展示給你看。」

「你要放棄禰衡嗎？」孫策目露凶光。

「我可沒這樣說過。」孫堅不屑地笑了笑。

「你有。」孫策用劍指抵住孫堅的胸口道：「我聽到，一陣急著要離開的音色。」

「真是麻煩的能力。」孫堅臉上卻展現出期待的神情。

「的確。」孫策卻一臉痛苦：「我現在整個腦袋都是噪音，煩死人。」

孫堅走到一臉懵懂的禰衡身邊，用腳尖輕點了他一下，說道：「只要讓他清醒過來，那就馬上出發，如何？」

「做得到？」孫策驚訝。

「既然知道大概的原因，就自有方法。」孫堅從懷裡抽出一把短刀，竟和于吉送給孫策的一模一樣，只是仍未除雜轉黑。

「聽你的描述，應該是為這小子灌靈漿時，摻雜了太多仍帶回憶的魂碎，所以才會掩蓋他本身的記憶，不過也可能是他融化時，流失太多自己的記憶。」孫堅邊説邊剖開禰衡的肚皮，讓其胎光外露，並向孫策招手道：「來，過來！」

「要怎麼做？」孫策幾乎被嚇住，但畢竟有過剖魂腹的經驗，所以很快就理解孫堅大概想幹什麼。

「把這小子本來的記憶引回到表面來。」

「要、要怎麼做？」孫策這回真的被嚇住了。

「這是你的能力，自己觸摸吧。」孫堅説罷便起身走開。

「你去哪？」

「去逗貓。你們帶來的那隻大貓。」

「混帳老頭！」孫策雖然口中咒罵，卻還是由得孫堅離去。

然後，他望向禰衡一臉迷茫的表情，再望向那被剖開的腹腔，無奈地道：「也只能上了。」

孫策探手到禰衡的胎光內，專注地傾聽，果然，更清晰地聽到他體內的雜音，還有他本來的聲音。但要如何將禰衡的聲音引出來，壓過那些雜音？

以聲引聲，孫策第一時間就想起那首賦，那首屬於禰衡的賦，於是他稍稍回想，誦道：

惟西域之靈鳥兮，挺自然之奇姿。
體金精之妙質兮，含火德之明輝。
性辯慧而能言兮，才聰明以識機。
故其嬉遊高峻，棲跱幽深。
飛不妄集，翔必擇林。
紺趾丹觜，綠衣翠衿。
采采麗容，咬咬好音。
雖同族於羽毛，固殊智而異心。
配鸞皇而等美，焉比德於眾禽——

禰衡的雙目漸漸由濁轉清，並變成尷尬的表情，甚至別開臉，不去望孫策。

「夠了……」禰衡無力地道：「唸得一點抑揚頓挫都沒有，這是賦，不是悼文。」

孫策笑了笑，然後隨手掠過禰衡被剖開的腹腔，一道白煙綻放，開口就這樣被縫起。

「去你的。」孫策用力推了禰衡一把，然後站起來，四處張望，想找孫堅和大虎翊的身影，卻發現孫堅又來到龍穴旁，聚精會神地望著穴內。

「你不是說去逗貓的嗎？」

「在逗啊。」孫堅仍然目不轉睛，讓孫策又再心生不妙。

孫策一個箭步衝到孫堅身邊，並強壓顫抖的拳頭，望向龍穴，但還未看清大虎翊是否被丟下去，就被一團從下飛上來的陰影嚇住了。

那是一匹有著金黑相間毛色的猛獸，黑色條紋在額上鑄了個「王」字，雖然在常人眼中，幾乎每匹老虎都是這副模樣，但這匹，卻有著異於野獸的神情，無疑，就是翊。

但又和本來的翊有些不同，雖然只是多了一點東西，卻足以讓孫氏父子和剛回復神智的禰衡都驚訝得說不出話來。

翊的背上，多了一雙與身同長的翅膀，一雙與皮毛同色，形狀則似是蝠翼的兩翅。果不其然，翊也被孫堅丟去泡龍脈，卻沒想到，這一泡，竟泡出了隻添翼之虎。

「妖孽！」孫堅嘆道。

「不過是多了雙翼，何必這樣說？」

「不，不是罵人的意思……」

「是指童謠和傳說中常出現的那東西吧？」禰衡也走了過來，搭話道。

妖。

經過一番不太順利的修煉，孫堅、孫策、禰衡和翊，三人一虎，仍決定繼續前往郿塢，雖然戰力上沒什麼保證，但畢竟多了一隻會飛的老虎，萬不得已時仍有路可逃。

「真沒想到，得到龍脈眷顧的，竟是這隻大貓。」孫堅嘆道。

「說夠沒有。」孫策不滿：「走不到數里就說一次，耳朵都起繭了。」

「哈哈。」孫堅雖在笑，但語調卻是明明白白的不滿：「失敗了還不讓人說嗎？」

於是孫策又再一言不發，一團人又陷入難堪的氛圍當中，不過禰衡根本不在乎什麼氣氛不氣氛的，倒是剛長翼的翊，由於成妖，對人言再通了幾分，更受不了這種僵持場面，於是便裝作要摸索如何用翅膀飛行，走到一邊跳來跳去。

「剛才從龍脈裡出來時，不是飛得很順暢的嗎？」孫堅卻沒打算放過牠：「怎麼現在蹩腳得像隻小雞似的？」

翊垂首低鳴，不敢再跳。

空氣，又再僵冷下來，讓本應對溫度麻木的孫策，好好體會了一番北境的寒冬。

這時他才發現，其父身披厚實的皮製披肩，又穿著臃腫的棉衲大衣，而自己仍是那南方的裝束，莫非是有一定修為後，魂魄也能感受到溫度，甚至其他感覺？

然後，他又想起，在洛陽時，孫堅竟能移開陽間的瓦礫，孫策好奇是怎麼一回事，但自尊卻制止了他發問。

行了數里，孫堅又感無聊，便說：「真沒想到……」

沒等他說完，翊已經怕得發抖，卻也因而引開了孫堅的注意，不再自以為幽默地戲弄孫禰二人，而是另起話題：「對了，我都還不知道這大貓的名字，你們有幫牠改名吧？」

孫策如露水遇寒風，瞬間凍成冰柱，僵直在原地。

見狀好奇的禰衡，便親切地代答：「牠叫作翊，不是羽異的翼，而是……」

「立羽的翊，對吧？」孫堅笑道。

見禰衡狐疑地盯著自己，孫堅便解釋道：「那是我三子的名字，也是這臭小子的三弟。」

孫策別過臉，孫堅卻不肯罷休：「真是個偏心的大哥。」

孫策氣得一個箭步衝上前頭，而禰衡雖然對孫策的事頗有興趣，但因為腦袋仍昏昏沉沉，就沒再在這話題上開闢下去，於是，空氣又再度寂靜。

但幸好，長安已不遠，這段尷尬的旅程即將得以解脫。

立冬，北方正受寒氣吞噬，但無論是泛冰的河水，還是呼嘯的寒風，都制止不了袁曹大戰的收官，為權為利而生的肅殺之意，更甚於寒冬。

而在遙遠的南方，雖不及北境之寒，卻也被濃濃的冬意籠罩，清閒無事的人，都窩在家中，甚至躲到被窩裡，擁抱那在夏日時所嫌棄的暖意。

由於靈巫的工作只在聯絡，所以當大號令都發出後，大喬久違地無所事事。

她亦像那些閒人一般，儘管白晝，仍躲入被窩中，擺弄著不熟手的刺繡，想試試為兒子做些什麼。而她所蓋著的那張被，卻異常地鼓起，似是窩藏了什麼不可告人之物。

可是自夫君孫策逝世後，大喬已如被打入冷宮一般，除了下人和偶爾來訪的吳夫人及小喬外，就沒有其他人會來，就像現在，亦是四下無人，似乎沒什麼東西需要藏起。

大喬就像身處在時間忘記流動的空間，用著不純熟的針線，慢悠悠又亂糟糟地舞弄著。

這柔和得會讓人不禁打瞌睡的氣氛，卻被大喬那被窩，或者說，是被躲在被窩裡的人打破了。

她像是被針刺到般突然站起，把大喬的被子都翻到地上，大喬先是打了個寒顫，然後馬上確認自己的針頭，是否不小心刺到妹妹。

躲在被窩裡的，毫不意外就是小喬，她身穿一件薄衣，披著桃紅色的披肩，頭髮因為躲在被窩裡的關係而亂七八糟，嘴角還掛著一絲沫痕，但她的表情卻完全不像一個午睡時模糊彈起的少女，反倒一臉驚愕。

小喬望向窗外，語氣極其凝重地道：「……妖氣。」

雖然小喬所說的話，還有她那身髒亂的造型都很可笑，但大喬非但沒笑，更不像往常般淡然，而是同樣板起一副非常嚴肅的神情。

「可是……妖怪不是都消聲匿跡百多年了嗎？」大喬問。

「我也不清楚……」小喬為了釐清思緒，開始抓弄頭髮，卻將本已雜亂的長髮弄得更狂亂：「我從未有過這樣的感覺，就像腦袋裡的某根筋被勾起一樣，然後腦中就浮現出一團黑影，像是隻長了翼的熊還是虎……」

大喬亦站起來，抱著小喬，為她梳理散亂的頭髮，並道：「那就沒錯了，我第一次感覺到亡魂時也是這樣的感覺。」

小喬深深地吸一口氣，然後溫柔地挪開大喬，笑說：「呼……那也代表我這管妖的靈巫，仍有存在價值。」

大喬也笑了：「對啊，不過你還記得兒時所學的巫技及應對法嗎？」
「大概吧……」小喬閉目回想：「首先是煉出倀靈，然後讓它飛到當地視察吧？」
「那可要費不少時間。」大喬道：「要不，先讓我的黑鴿去看看吧？」
於是，大喬便煉出黑鴿，讓它飛向小喬感應妖氣的地方，關中之城——洛陽。

郿塢

十九

冬意漸濃，即使日間，天色亦一片灰濛，沉甸甸的雲就似隨時傾瀉下來，空氣卻甚是乾燥，風亦不見行跡。

孫策一行人，比預想中更快到達長安城，望著這座巍峨的古城，不禁肅然起敬，因為這是一座連洛陽都難以相比的古城，不但是西周和秦國的定都之地，更是當朝高祖的立國之都。

眾人之所以提早到步，是多得翊終於掌握飛行技巧，雖然其體力不足以載著三人一口氣飛到長安來，卻仍大大縮減旅程。

「長安既是當朝新都，亦是先漢古都，想必也有龍脈吧？」禰衡望著長安綿綿城牆說道。

「當然。」孫堅答道：「但無論對活人還是亡魂來說，皇城都不是能自出自入的地方，洛陽只是因為通曉陰陽之道的官員都撤了，而本身布下的陣法亦被大火摧毀，才會有機可乘。」

「還提龍脈？你不怕嗎？」孫策笑道。

禰衡無言，並露出落寞的神色，但孫堅毫不在乎這些細枝末節，只顧催促道：「好了，觀光完了，出發吧，郿塢已在不遠處。」

孫策由於擔心禰衡，所以沒心思去駁嘴，只乖乖地跟著孫堅走。

「你在龍脈裡看見了什麼嗎？」孫策放慢腳步，好與禰衡並肩而行，然後輕聲問道。

「看見？」禰衡思道：「我沒看，而是聽到，聽到一首時而悠揚、時而悲涼的古樂，像在頌揚歷史，不，更像是……那首樂章就是歷史本身。」

禰衡重重嘆了口氣，續道：「但我醒來後，卻記不起這樂曲的一音半調，真可恨。」

「這麼好聽麼？」

「不是好不好聽的問題，而是……那種讓個人與世界混成為一的感覺，讓人陶醉。」

「這樣啊……說起來我弟倒是精通音律，說不定與你談得來呢。」

禰衡苦笑，然後便轉了個話題：「你剛才問我是不是在龍脈裡看見了什麼，那代表你曾看到了什麼吧？」

「對，我看到那老頭子在洛陽時的經過。」

「這倒很好理解，他泡過龍脈，其記憶應該也融入過龍脈裡，然後再被你這血親觸發之類吧？」

「有道理。」孫策靈光一閃：「……等等，那老頭子的那段記憶還在他腦海裡嗎？」

禰衡怔住了。

「怎麼了？」

「我終於知道，從龍脈出來後，為何總感覺有種說不出的奇怪。」禰衡一臉鐵青地道：「我的記憶有所缺失，不單如此，還摻雜了不屬於我的記憶……」

禰衡再次苦笑：「哈，禰衡禰衡，不再是本來的禰衡了。」

離開長安城後，眾人來到城西一處草原稍作休整。

寒風處處，但這片小草原卻有別於周遭，帶著滿滿生機，雖然只長著小草小木，面對北風卻百折不撓，彷彿曾久經黑暗，所以不想放過一刻沐浴陽光的機會，是片生氣盎然的原野。

休整過後，眾人再度踏上旅程。

太陽西行的速度比他們快上許多，當他們尚在半路時，夕陽已沉沒。

夜靜，月朗，星稀，暗雲漸現。

一座拔地而起的小城池，出現在眼前。

就是這趟旅程的目的地——郿塢。

郿塢城牆上豎著兩支泥黃大旗，分別寫著「蒼天已死」及「黃老當立」八字，似在向上蒼示威一般迎風飄揚。

「黃老？」孫策奇道：「不是黃天嗎？」

「不清楚，每個黃肩軍都是這樣說，想必不是筆誤。」孫堅卻不太在乎：「畢竟他們也不完全是黃巾賊。」

「這樣看來，黃巾賊起義，倒更像是個儀式。」禰衡道。

「反正聚集亡魂也不外乎是想利用他們的靈力。」孫堅仍是漫不在乎的語調：「把領頭的收拾，那就自然散了。」

「真就這麼簡單？」孫策狐疑：「總感覺這黃老二字有蹺蹊……」

「一般而言，黃指黃帝，老是道家的老子，而坊間的所謂黃老之學，大都指道家的其中一支，融合了神仙家和陰陽家的流派，為了托大而借用了黃帝的名號。」禰衡道：「而張角自立太平道，說不定背後和這黃老學派有什麼關係？」

「不過是神棍之談，正面上就是了！」孫堅說畢，便大步走向郿塢。

神棍之談？孫策望著自己那能穿透樹木的虛無雙手，不禁感到好笑，他們自身的存在，不就是所謂的神棍之談嗎？

但，不，等等，明明有比這更值得注意的事。正面上？正面？就憑我們？三人一虎？

雖然孫策心裡覺得孫堅實在胡鬧，但身體卻很老實地邁出興奮的腳步，不帶半點猶豫，走向郿塢，留下跟不上戰鬥狂思維的禰衡和翊在原地。

「無常孫堅，奉大司命之令，鎮邪逐惡！」

孫堅雙手向外一揚，身上噴湧沸騰的白煙，待煙散去，只見孫堅已披上白袍白甲，右手握著松紋古錠刀，左手執著掛有赤幘的銀戈，凜然屹立。

同一時間，孫策也纏上白銀輕甲，手執黑鐵長槍，並為了在氣勢上不輸其父，於是再加煉了一件血紅斗篷。

兩人並肩而行，來到郿塢門外。

城內卻風平浪靜，莫說敵人，連風聲都沒滲出半滴。

「莫非是空城？」孫策説。

「不。」孫堅把古錠刀收入鞘，然後將手放到城門上：「只怕是躲了起來吧？」

孫堅運勁一推，城門發出了響亮的吱啞聲，並微微開了個口。孫策暗嚇了一跳，但為了不讓孫堅察覺繼而露出囂張神色，所以強行壓下，並擺出一副毫不在乎的表情。

「真他媽狡猾。」孫堅笑道：「這是道用靈力打造的城門，而且還設計成要耗費相當靈力才能打開，我想裡頭應該還有更多機關，讓來襲者有去無回吧？」

「莫非整座城都是用靈力建成？那得用上多少亡魂的力量？」

孫堅用銀戈在城牆劃了道口，然後道：「看來沒錯，在活人眼裡這就只是一座廢墟。」

「那怎麼辦？」孫策口雖在問，雙手卻已按到城門上，神情雀躍：「硬闖嗎？」

「廢話。」

然後，二人四手一同用勁，郿塢就此中門大開。

映入眼簾的，是一個對於宅邸來説太過廣闊的前庭，恐怕能容納數千名士卒平排而立，此刻卻不見軍馬，只見一黃衣男子在庭中央，背對大門，負手而立。

那人緩步轉身，是個二十來歲的青年，器宇不凡，但身形相當奇異，四肢壯實，肚皮卻異常腫大，比懷胎十月更有甚之。

「唉，真是怕什麼就偏要來什麼。」那人望著孫堅，滿面愁容地嘆道。

「他是誰？」孫策問道。

「有點面善。」孫堅瞇起雙眼瞪著那人：「但一時想不起是誰。」

「真該死，枉老夫日驚夜恐，就是怕你會來壞老夫好事，卻沒想到你竟然把老夫給忘了。」黃衣男子苦笑，然後伸出一掌，徐徐拂過面孔，只見其臉容像枯萎一般迅速老去，並漸漸肥腫：「這副容貌你倒該記得了吧？」

「喔，是董卓啊。」

「你這是什麼反應？」董卓手掌再拂過臉龐，又再變回青年模樣，神色不悅：「不是該震驚一點麼？」

「有什麼值得震驚嗎？我就是為了找你才特地抄到來你家。」孫堅挑釁地笑，並抽出松紋古錠刀，指向董卓道：「別裝模作樣了，把藏起的東西都叫出來吧！」

「怎麼，你以為這裡還有千軍萬馬？」董卓笑道：「早就去了該去的地方了。」

「那機關呢？」孫策好奇插嘴道。

「這不識規矩的臭小子是誰……啊，看這欠打的嘴臉，真是虎父無犬子。」董卓笑意更濃，並轉向孫堅道：「算來，你兒子再大，今年也不過三十吧？兒子比自己還早死，是什麼感覺呢？說不定就是你自作的孽……」

沒等孫堅反應，孫策便用黑鐵長槍重重砸地，竟讓整個郿塢為之一震，董卓也不禁收起挑事的嘴臉，孫策卻只是淡淡地道：「這是我自己的帳，與這老頭無關，要嘲諷，就望著我。」

「你倒沒說錯，虎父無犬子，哈！」

「真是的，煩人的傢伙一個就夠了。」董卓咬牙道：「早知道還是先讓你們被機關折磨一下。」

「還真的有機關嗎？」孫堅問。

「是設了，但不是對付你這傢伙的。」董卓舉起右手，將拇指和中指扣成一個圈，並說：「畢竟靈魂很奇妙，若讓你在應對陷阱期間，覺醒了什麼東西就不妙了，所以老夫還是穩健點，選擇最直接妥當的方法來對付你，不，是你們。」

「是什麼方法？」孫堅再問。

「用你生平最怕之人。」語畢，董卓用力彈響手指，一個人影立馬從他身後閃出。

只見那人輕輕一躍，已越過董卓，來到孫氏父子面前，他著地時刮出一陣風，拂過二人的面頰。那人本已不高，還微駝著背，看上去更是矮了幾分。他有一張瘦長的臉，留著一頭過肩的曲髮和濃密的鬍渣，雙目渙散，嘴唇微張，一副精神不振的模樣，但隱隱滲透著一股癲狂之氣。

「徐榮！」孫堅竟渾身顫抖起來，但孫策聽得出，其聲線中雖蘊藏恐懼，卻另有其他情緒，其中最躁動的音色，是興奮。

孫策自然知道徐榮是誰，畢竟其父一輩子裡，就只打過兩場敗仗，一場是討伐黃祖不幸陣亡的一役，但敗因在於無法預測的亂石飛矢，對孫堅來說，只是敗於命運，而非敗於黃祖手下。
但另一場，卻是毋庸置疑的敗仗，還是被對方以少勝多，更殺得孫堅落荒而逃，甚至要脫下作為一軍之將的象徵赤幘，並讓手下戴上以引開敵軍，方能成功突圍。
那一仗的對手徐榮及李蒙，不單讓孫堅無法忘記，甚至連孫策也一直耿耿於懷，想知道能擊敗其父之人，到底是長什麼樣子。
眼前的，正是其中的徐榮。
當年董卓軍中，曾有此一說，兵者華雄，武者徐榮，兼者呂布。雖然徐榮的名聲比不上其餘二人，而且不擅帶兵，只有在突襲及少數兵力交鋒時才能彰顯身價，真正拿得出手的戰績也只有兩場，都是在諸侯聯軍討伐董卓時的戰鬥，一場的對手是孫堅，另一場，則是當時仍未成氣候的曹操。
這兩場仗，徐榮都將對方殺得人仰馬翻，潰不成軍。
徐榮其人，雖然沒有三頭六臂，卻和孫策期待相差不遠，非因其外表，而是他的氣勢，還有潛伏在他體內的，與癲狂外表不符的平靜音調。
「吾乃破虜將軍孫文臺！」孫堅以古錠刀指向徐榮道：「感謝上蒼，讓我有機會報一戰之仇！」
徐榮冷笑一聲，用那長得嚇人的舌頭舐遍蒼白的唇，將蓋在額前的亂髮撥後，再對董卓笑道：「兩個，我都要了。」
沒等董卓回應，徐榮便狂笑起來，同時，一陣白煙從他身上噴湧而出，瞬間籠罩整個前庭。待煙霧散退之時，只見徐榮周遭插滿了劍，形成劍林。

孫策不禁笑了。

徐榮拔起劍林其中一把劍，然後慢悠悠地甩了甩，看上去很不經意，但能將劍揮得如此之慢，又充滿韌勁，在高手之間，卻是一種威嚇。

孫策挺槍踏前，準備迎戰：「來啊，讓我體會一下那超越老頭子的實力吧！」

「策兒，講講規矩，他是我的獵物。」

「嗚……先讓我過兩招不行嗎？」

「不行。」孫堅冷冷地道。

孫策知道，當其父露出這般腔調時，就連其母吳夫人亦無法制止。

「可惡……」孫策唯有逞逞口舌，嘲諷道：「可不要再敗了！」

「這我可保證不了。」孫堅笑了笑，然後緊握古錠刀，步前赴戰。

孫策這輩子，從未見過其父如此不自信。對這場戰鬥，他既不安又期待。

期待，是想看到孫堅敗北的模樣，不安，卻也同時是害怕見到其父敗北的事實。

然而，不論孫策再怎麼想，都已無法阻止這場決戰。

孫堅和徐榮二人步伐雖慢，卻都筆直向著對方而行，同時揮舞手中刀劍。

徐榮繼續甩舞著劍，劍光迴繞，彷似靈蛇。

而孫堅則徐徐地將古錠刀舉高，刀尖從指向徐榮，再慢慢抬向穹蒼。

兩人相距尚有三丈。

兩丈。

一丈。

古錠刀的刀尖不偏不倚，正指向天際，然後，兩人再各踏前一步，時間彷似決堤一般，從古錠刀的刀口狂湧而出，方才兩人還是徐徐漫步，現在卻像電光交錯，奔騰澎湃！

孫堅在徐榮步入自己刀距的瞬間，便全力下劈，其斬速之快，肉眼幾乎無法捕捉。但，徐榮卻不徐不疾地揮繞劍身，劃出一道弧，將孫堅剛猛至極的攻勢輕盈化去，看上去就像是亂揮的劍，剛好碰上了刀，並將之卸開了一般。然而，若非帶著勁去揮的話，這劍定必會被刀劈開。

僅僅一刀一劍之交，孫堅已知自己技不如人。

然而，勝負從來不是單憑武技定奪。

孫堅順勢將下斬的刀勢迴向左，劈開徐榮連消帶打的追擊。然後，他不自覺地笑了。

孫堅，士氣正盛！

二十 接戰

夜，月色蒼茫，恍如聚光二人的周圍。

冬，四下無風，似是靜待決鬥的結果。

孫堅渾身散發著激昂的呼嘯聲，如一鍋燒得火燙的沸水，翻騰冒升，綿綿不盡，卻誰都明白，若不懂收放火候，只會就此燒乾，滴水不剩。

徐榮的內心，則仍是波平如鏡。

在孫策眼中，這場決鬥早在第一擊已分出勝負。

但，他和孫堅是同一性子，即使明知技不如人，也不礙他們出手，因為，敗中求勝，逆轉局面，正是他們的職責。

「真可惜，我不僅僅是武人，還是一介將軍。」孫堅把掛在背上的銀戈也抽了出來，和古錠刀一同指向徐榮：「武者，追逐至高至強之道；但為將者，只求不敗致勝之道。」

「呵——欠……話說夠了沒有？我的劍都快涼了。」徐榮仍是看似隨意地擺舞著劍。

指著徐榮的刀戈，突然錯開，刀口上揚向天，戈尖則下揮向地，再各自劃成一個弧，上下交錯，同向徐榮刺去。

徐榮卻後退了兩步，並直刺出劍，待其站穩之際，劍尖剛好同時抵住了孫堅的刀和戈。

任徐榮武功再高，劍法再精妙，作為人，是絕無法使出如此妖而近神的劍法，是他死後，借助亡魂特性，讓自己的武道再臻至另一境界。

那自己呢？在這段期間，超越仍然活著的自己了嗎？孫策不禁撫心自問。

孫堅的攻擊仍未完結，他的戈在被徐榮抵住後，竟立馬伸長，直刺向徐榮的面門，原來在揮戈時，孫堅是握住戈柄的中央，待徐榮用劍架住後，他再稍稍鬆手，並用腳輕踢戈尾，讓戈直挺出去。

雖說徐榮用劍抵住孫堅的攻擊，但其實，也被孫堅的刀所牽制，所以無法輕易抽回擋格，只能側身躲避。徐榮的馬步就此偏移，孫堅沒有放過這機會，刀戈梅花間竹地追擊對方。

止戈為武，止，所指的並非制止，而是象形的腳步，一切的武，都由腳步而起，亂了腳步，就是亂了武道，所以，孫堅並不打算讓徐榮再踏穩馬步。

然而，即使徐榮無暇調整腳步，卻還是能單憑腰臂之力，以劍技去應對孫堅那令人眼花繚亂的攻擊。

但，他的劍卻抵受不住，被古錠刀攔腰伐斷。

失去了劍的徐榮立馬後退數步，卻意外地被自己所煉成的劍林擋住了步伐。

孫堅見狀，馬上乘勝追擊，旋起銀戈，以螺旋之勢直刺向徐榮，其勢之勁，令掛在柄頭的赤幘猶如車輪般迴旋起來。

卻沒想到，徐榮只是以退為進，誘孫堅深入自己的領地。劍林上的劍，都刺了大半劍身入土裡，非得彎腰才能握住劍柄，所以一般人無法立馬抽劍反擊。

然而，徐榮並非一般人。

「真是學不乖。」徐榮雙掌向兩邊一揮，震出兩道氣勁，數把劍應聲而起，其中兩把如寵物般，乖巧地撲到徐榮掌心上，他輕柔握住，然後失望地道：「明明上次也是敗在深入敵陣……」

徐榮輕輕躲過銀戈，然後刺向戈後，卻，揮空了。

銀戈筆直地飛過徐榮，直插向董卓身旁的階梯上。

原來，孫堅故意旋起銀戈，就是為了讓赤幘擋住徐榮的視線，令其以為是孫堅在挺戈。

「敗給你之後，我就將那塊被迫摘下的赤幘掛在銀戈上，為的就是將那場敗仗銘記於心。」孫堅從徐榮身邊閃出，高舉古錠刀，全力劈下！

刀光一閃，閃避不及的徐榮，被砍去整條右臂。

「孺子可教。」徐榮淺淺一笑，然後雙膝跪地：「恭喜你，終於戰勝了那時的我……」

孫堅不禁握了握拳，但這短短一瞬間的興奮，卻成為最後一點被炊乾的水滴。

「接下來就讓現在的我，再為你上一課吧，呀哈哈哈哈！」徐榮左手輕輕一招，剛才被他用氣勁抽出，卻沒用到的數把利劍驀然騰空，然後從孫堅的背後直飛過去！

一把插進右肩，一把刺入左臂，一把沒入了右腿，另一把則將孫堅的左腳掌釘死在地上。

然後，徐榮再執起左手的劍，準備向孫堅的面門刺去。

沒等徐榮發力，他的劍就被身後的黑鐵長槍挑走了。

「勝負已分。」孫策沒有乘機暗算，而是就此收槍，並道：「接下來該我了。」

徐榮暗吃一驚，他非但沒察覺孫策靠近，更讓對方如此輕易就挑走了手握之劍。握劍，對劍客來說，是一切的基本，若非高手，絕難挑走一流劍客手握的劍，更何況是徐榮這種幾近天下無雙的武人。

本來，徐榮和董卓都沒將孫策放在眼內，只把孫策當是紈絝子弟，直到這時，才得知對方的實力，原來不下其父。

「虎父無犬子。」董卓嘆道：「老夫一路認為這只是虛言廢話，因為老夫從未見過有哪一個英雄人物的兒子能有其父一半出色，卻沒想到，要死後才真遇到一個。」

「你錯了。」孫策笑道：「我是虎子無犬父！」

董卓先是哈哈大笑，然後立馬擺出極其陰森的神情，說道：「離成功只差一步，絕不能有半點閃失！徐榮，把他轟出城外，然後了結。」

「那獻祭怎麼辦？」徐榮問道。

「我來接手。」

「可是有兩個啊？」

「也只能硬上。」

「嗤！真貪心，不過你是老大，你說了算。」

徐榮轉過頭來，貪婪地望向孫策，舔唇道：「反正，這小子也夠我玩上一陣。」

「談完你們的陰謀詭——」沒等孫策問完，徐榮便以迅雷般的速度，將孫策踢出城門之外。

徐榮抬起左臂，手掌向上一揮，劍林的劍全部被抽出，然後飄浮在徐榮的跟前，劍尖指向孫策，彷彿在為徐榮開路一般，跟隨著他的步速，向前徐徐飛翔。

待其步出城門後，郿塢的大門便隨即關上，心急如焚的孫策，望向被刺穿了的孫堅，卻不知為何，只見孫堅竟露出一抹詭異的笑容。

然後，大門完全關上。

「你和你老爹誰更能打？」徐榮邊問邊將左手向下一揮，所有浮空的劍又全都插到地上，在他和孫策之間形成了另一片劍林。

「不知道。」孫策緩了緩才站得起身，他輕拍一下被踢中的胸膛，裝作毫不在乎：「畢竟我能打時，那老頭子就已經死透了。」

「呵，不知底細，打起來更有趣呢。」徐榮又再漫不經心地甩著劍。

「雖然我也想知結果。」孫策為了理順呼吸，故意找話題爭取時間：「可你斷了一臂，這不公平吧？」

「嘿嘿，不過是少了隻手，不礙事。」徐榮停住了左手的劍，然後凝神聚氣，驀地，劍林中一把劍騰空而起，並飛到其右側凌空擺舞：「我耍劍早已不必用手。」

「要如何達到這境界？」孫策一方面為了拖延，一方面又真的想知道答案。

「我也不太清楚。」徐榮思考著，但舞擺的劍卻沒停下，而擺動的軌跡仍是一如既往渾然天成：「大概，是因為我太了解劍吧？」

徐榮這恍如胡扯的回答，卻令孫策醍醐灌頂。

本來不順的呼吸，一下子順暢起來，不單如此，甚至開始奔騰，靈氣不再單單是被吸入然後呼出，而是連綿不斷地在孫策體內馳騁，連帶四周的靈氣也被攪動起來，形成一陣陣風。

這陣陣不尋常的風，令徐榮亦不禁詫異：「你在搞什麼？」

「我本來呼吸有點不順……」連孫策也被自己嚇到：「但聽到你說你太了解劍後，就想到，我應該也很了解呼吸這回事，畢竟呼吸了二十多年，那為什麼總是理不順呢？」

「呵？說下去。」徐榮不再舞劍，而是扎起馬步，進入臨戰狀態。

「因為我太在意，想用意識控制呼吸，卻忘記呼吸是本能，只要隨身體而行就可以了。」孫策也執起長槍，擺出架勢。

「呼哈哈！扯的甚麼狗屁玩意？」徐榮再度浮誇地舐了舐唇。

靈力的呼吸，就是吸入靈氣以攝取靈力，並將榨乾了的廢氣呼出的循環，雖然並不能增加和積存靈力，卻能補充耗用掉的靈力。

「反正就是多得你，讓我知道該怎麼讓身體幫我駕馭，龍脈賜予我的另一種力量。」孫策一個踏步趨上前，道：「十倍於以往的呼吸量！」

孫策跳起，踏著劍林眾劍的劍柄穿過劍林，一瞬間就躍到徐榮身前，然後全力地刺出長槍。

那把盤旋於徐榮右方的飛劍，極其精準地以劍尖抵住槍尖。徐榮本以為這就能擋住孫策的攻擊，卻沒想到，孫策力量之大，竟將徐榮的劍震開。

徐榮唯有旋身退避，並以左手之劍護身，以防孫策追擊。

孫策沒乘勝追擊，而是待徐榮擺好架勢，準備接招，卻發現對方遲遲未有反應，而令架勢略略僵固的一刻，才再出手。

孫策挺槍虛刺，並乘槍勢未老，踏著回步，硬生生把刺出的槍勢改成橫揮，直劈去徐榮右肩。

失去右臂的徐榮沒來得及運起劍，只能以左手劍跨身子作出格擋，卻也因此讓左路空虛，孫策從左袖裡抽出黑鐵短刀，直取對手胸膛。

徐榮無法順勢迴避，只能踏著踉蹌的腳步後退，勉強躲過刺擊，衣襟卻被劃開，只見一張用血畫上古怪符文的黃紙，貼在徐榮的胸口上。

只見二人皆神色驚訝，卻誰都沒有停下腳步，尤其是孫策，左刀右槍，施展如狂風暴雨般的長短刺擊。

徐榮只勉強避開數招，然後便被槍鋒刀口劃得滿身是傷，如此下去，徐榮必敗無疑。

無可奈何之下，徐榮決定借勢跌倒，再迅速滾開，到距離孫策四、五個身位才敢站起來。

「臭小子，你叫什麼名字？」徐榮狼狽地問。

「孫策，字伯……」孫策未報畢名字，就浮出一種說不出的異狀，從何時開始，他又再自己稱為孫策的？他明明早經決定捨棄姓名。

是龍脈令自己失去了這段記憶？不，他仍確實地記得與于吉一同踏出孫家大門，仍記得為自己解髮及劃上疤痕的事，也記得為自己而定的新名號，但卻說不出口，發不出半點那字的音聲。

是于吉？是董卓？還是……司命？不，孫策想起，孫堅方才那抹詭異的笑容。

這一路上，他雖然對孫堅針鋒相對，卻已有別於二人同在生時，那種不共戴天的氣氛，他是從何時開始，忘卻了這份恨意？不對，並沒有忘記，而是被封——

「小孫子，發什麼呆？」徐榮卻沒仁慈到讓孫策有沉思的時間，只見他一劍刺來，軌跡遊走在孫策的槍與刀之間，令孫策無處發力抵擋，只能縱身後退，卻一時忘記剛才是躍過劍林而來，所以此刻，劍林就在他身後，更幾乎絆倒了他。

徐榮終於能重新擺好架勢，孫策的大好形勢就此葬送。

「我真他媽沒想到你這死臭小孫子，竟有這般能耐。」徐榮擦拭著額角上的冷汗：「單是這份不怕死的狠勁，已遠遠凌駕你那大孫子老頭了。」

「謝前輩讚賞。」孫策衷心笑道：「只是因為你少了一臂而已。」

「呼……你這小子，是經歷過怎樣的死戰，才會養出這種不要命的打法？」在痛罵一番髒話後，徐榮也卸下心防，不再擺弄那故作瘋癲的腔調，而是用上與其心聲一致的平和語調問道：「即使我雙手健全，也未必能應付，更何況你那攻勢還藏有後手……算了，我直接問，你這套槍刀混雜的狂攻手法，是為了對付何人而想出來的？」

「霸王項羽……不，現在該稱呼作——司命項羽。」

只見徐榮呆若木雞，然後漸漸露出與孫策遇上項羽時同樣的，興奮笑容。

徐榮 二十一

「項羽……」徐榮聲音顫抖地道：「竟然還在世上！」

孫策沒説話，只是笑著點了點頭。

「真想和他打一架啊！」徐榮緊緊地握住劍。

「果然，我們是同一種人。」孫策把長槍豎起，用槍尾輕插在地上，然後問道：「但你為何死後仍要做董卓的走狗？」

「哈……」徐榮空虛嘆道：「我也想知道，就像有什麼在束縛著我一樣，讓我無法做自己想做的事，我本以為是長年累月在他手下養成的奴性，直至——」

「看到你心口的那張……嗯，黃紙？」孫策指著徐榮的胸膛。

「對，我想這是董卓的把戲吧？」徐榮把握劍的手一放，劍自己懸在空中，然後他的左手伸到胸膛前，卻莫名其妙地繞圈，接著便叫道：「該死！這東西是他媽的有詛咒嗎？

竟然碰都碰不著。」

「我懂，我應該也中了咒。」孫策說：「我現在再怎麼也說不出自己的名號，甚至連在腦海裡都讀不出來，但我卻仍然記得那個字。」

「是何字？」

孫策再指了指徐榮的心口，徐榮嘴微張，像在說話一般，但孫策卻什麼都聽不到。

孫策不禁大笑了起來，道：「靈魂的世界，真他媽奇妙！」

「的確，我本以為自己在武道上已走到盡頭。」徐榮說著說著，那把懸空的劍開始繞著他飄浮：「直到死後，才知道原來還有這樣的境界。」

然後，他抬手指天，孫策身後的劍林全都從地上抽離，並飛到徐榮指著的上空：「而我更慶幸的是，我能到達這樣的境界！」

孫策笑著拔起黑鐵槍，問道：「這次，我的對手不再是裝瘋詐癲的徐榮，而是真真正正的你了吧？」

徐榮大笑，然後反問：「你怎麼知我是假瘋子？」

「因為你的說話的方式很不協調，時庸時狂，和你交手的人可能沒閒情留意，但旁聽時就很明顯了。」孫策敲了敲自己的耳朵，說：「而且你的心聲平靜，全然不像瘋子。」

「你還能聽到別人的心聲嗎？」徐榮笑著用手將頭髮向後一梳，然後扭曲的表情也變得平靜，雖然看上去正常了，卻也失去了氣勢，他續道：「沒錯，我是在裝瘋。」

「為什麼？」

徐榮的笑容變得僵硬：「只是些無聊的理由。」

「你的心聲終於有起伏了。」

「你是想令我動搖再動手嗎？」

「不，我只是想知道，為何當世第一武人也要裝瘋賣傻。」

「你……真認為我是當世第一武人？」

「起碼在我見過的人當中，你是最強的。當然，項羽例外。」

徐榮欣慰地笑了笑，然後深吸一口氣，才道：「那只是因為你沒見過呂布。」

「不過是我爸的手下敗將。」

徐榮大笑，笑得淚水都快飆出來了，待他笑完，才徐徐說道：「就是因為你爹的手下敗將，我才會裝瘋子。」

「你知道嗎？這世界有些東西，不是單憑實力就能得到的。」

孫策想了想，再回道：「例如名聲？」

徐榮一怔，然後再道：「本來在董卓軍中，我和華雄，一武一兵，是各自領域的最傑出者，但在這世道，領兵比武力重要，所以對於華雄，我還是服氣的。」

「可是，後來卻來了個倒戈的呂布。」孫策附和道。

「沒錯，那個儀表堂堂的傢伙，很快就得到董卓的信任，而且他領兵也的確有本事，雖然與華雄還有些距離。然而他的才能卻不只如此，還天生神力，在武力上的名聲都快要趕上我了。」徐榮嘆道：「但他不滿足，還找我來了場單挑。」

「你輸了？」

「怎麼可能。」徐榮笑道：「他敗了，卻敗得漂亮，使出了數招妙招，贏得滿堂喝采，但說到底，基礎了了，就是個會玩花招的傻大個。」
「他輸了，卻贏了人心，對吧？」
「沒錯，我贏了，卻讓軍中上下認為他不下徐榮，然後，更反過來把我的名聲吞噬。」
徐榮握劍的手不住發抖，聲線充斥著不甘：「明明我才是董軍第一！」
「或許還是天下第一。」
「過獎了。」徐榮笑著續說：「後來，我為了奪回名聲，想了很多方法，甚至有點入魔，還嚇著別人，然後，我就發現，這不就是個好方法嗎？於是，我便開始裝，裝成求道入魔的瘋子！果不其然，我的名聲回來了，董卓軍中開始傳誦：『兵者華雄，武者徐榮，兼者呂布』！」
徐榮釋懷了，但孫策卻一臉失落。
「失望了嗎？天下第一高手竟是個如此小家子的人。」
「你滿足了？什麼兵者華雄，武者徐榮，兼者呂布的，這就足夠了？」
「總比什麼都沒有好。」
「那項羽的事呢？若碰上他，你真敢和他打一場？」
徐榮喉頭一僵，說不出話來。
「我要收回你當世第一武人的讚許。」孫策旋起槍，指向徐榮。
「反正我從沒認為自己到達這境界。」徐榮也板起臉，提起劍。

兩人凝神聚氣，但呼吸卻怎麼都平靜不了，繚亂而凌厲，比起高手的對峙，更像是頑童的針鋒相對。

孫策等不及徐榮的架勢老去，挺槍直刺。

徐榮也不用以柔制剛的一套，而是硬碰。

再一次，劍尖抵住槍尖，但這次，槍尖卻承受不住認真的劍擊，被硬生生破開兩半。

孫策拋下斷槍，隨手搶過浮在空中的劍，揮了揮，確認能控制後，再對徐榮擺好架勢。

「你不是還有把短刀嗎？怎麼淪落到要偷我的劍？」

孫策無視對方的挑釁，只管用力，狠狠地劈下去。

徐榮亦放棄了劍招，繼續硬碰硬地對劍。這次被斬斷的，卻是他手中的劍。但他馬上召來另一把劍，再硬砍過去。

二人就像兩隻瘋牛般，不斷以蠻力對撞，對撞再對撞。

然後，劍，一把、兩把、三把、四把……接連交錯地被砍斷，直至整個劍林的劍都耗盡，二人還不罷休，改為用拳互毆。

但這樣，兩人的實力差距就顯現了。

孫策之所以會用徐榮的劍，是因為他知道徐榮的劍比他煉成的武器堅固，因此二人才能勢均力敵地對砍。

所以，當劍用盡之時，勝負已經分曉，孫策重重地揮了兩拳，卻被徐榮卸去大半力度，而徐榮後發的一拳，則結結實實地擊中孫策的腹部，其用勁之大之深之遠，竟直將孫策打飛到十數丈外的樹林裡。

徐榮站在原地等了半晌，樹林裡還是沒有反應，於是他便走過去看看孫策的情況，為免有詐，他還特地重煉了一把劍才邁步。

果然，待他走到樹林前不遠，就有幾把短刀飛擲過來，其勢雖不凌厲，卻因為沒有沾染氣息而難以察覺，要待飛出樹林，才能用肉眼判斷擲來的方位。

短刀擲了幾輪，卻全都被徐榮躲過，但他也顧忌這些隱密的飛刀，不敢隨意靠近，只好在林前叫囂：「小孫子，你以為憑這些玩具就能收拾我嗎？」

「我只是在試驗你所賜予的能力而已。」孫策徐徐步出樹林，動作慢悠悠的，彷彿不放徐榮在眼裡。

「我賜予？」徐榮卻加倍警戒，並擺好防禦架勢。

然後，孫策隨手一揮，身後竟就煉成了成千上萬把短刀，全部刀尖都指向徐榮。

「刀山劍林，應該要這樣用。」孫策奸笑道，接著手一揚，短刀逐一向徐榮刺去：「不知道你能躲過多少把？」

孫策的飛刀先是一把一把的飛刺向徐榮，然後逐漸加速，由和緩的微風漸漸變成風暴，再加上每把都不帶氣息，令徐榮必須全神貫注，用雙眼去看，才能察知刺來的方向，和一般帶著恨意甚至殺氣的刀劍不同，那些招式，徐榮單憑感覺就能躲過。

經歷一陣飛刀的狂風驟雨，孫策的攻勢總算是有所收斂，但徐榮也幾乎將所有精神虛耗在迴避之上。

「真不公平……」徐榮喘著大氣道：「竟然能隨意使用別人的招數，而且還提升了好幾個境界……像你這種人，就是所謂的天選之子吧？」

孫策卻苦笑，然後手再一揚，另一陣短刀風暴又再來襲。

徐榮再度凝神，卻發現靈力早已透支，連半步也挪不動。

於是，刀風劍雨，就那樣穿透徐榮的身軀。

奇怪的是，徐榮竟完好無缺。

孫策伸手去取空中的短刀，卻觸碰不到，他笑著說：「這是我朋友所做的假貨而已。」

一直躲藏著的禰衡，也從樹林裡走了出來，然後他輕鼓雙掌，天上地下的短刀，全都消失得無影無蹤。

徐榮既憤怒，又覺得好笑，沒想到自己竟然輸在掩眼法上。

「其實中了你那一拳後，我已幾乎站都站不起來。但你卻不相信自己的拳頭。」

徐榮跌坐在地，端詳著自己的拳頭。

「這就是你不如我，也不如呂布的地方。」孫策也撐不住，倒臥在地上。

「你是想說我不夠自信嗎？」

「不單如此，還膽小。」

「我膽小？」

「你只滿足於自己雙手能觸及的境界。但呂布卻敢於挑戰比自己強的對手，到了董卓軍，就找了當中最強的你來單挑，雖然敗了，卻讓眾人記住了他的名字。」

徐榮一怔，回想著自己的過去，雖然擊敗過孫堅和曹操等人，但當時都還不知道他們的能耐，只當是一般雜卒去應對，而面對已經揚名的強敵，他往往會畏戰，他的名號，他的戰績，都是靠戰勝他認為能贏的對手而得來。

「這就是為何呂布不如你，卻能名震天下，而你，就只能在董卓軍內薄有名氣。」孫策輕撫著剛捱了一拳的腹部，神色痛苦。

「你和呂布也是同一種人，明明只剩一口氣，竟還敢用花招來應戰……」徐榮苦笑道：「如果我能早點遇上你，那該多好。」

「別說得好像要死……不，要魂飛魄散了一樣，你不是還存在嗎？」

「可是，我只是具魂魄……」

「但，這裡——」孫策張開雙手，向徐榮展示著：「不就是屬於魂魄的世界嗎？」

徐榮隨著孫策，細看了這個，他從未認真看待的新世界一周，然後，豁然開朗。

而那貼在胸口的黃紙，竟就這樣，徐徐脫落。

咒 二十二

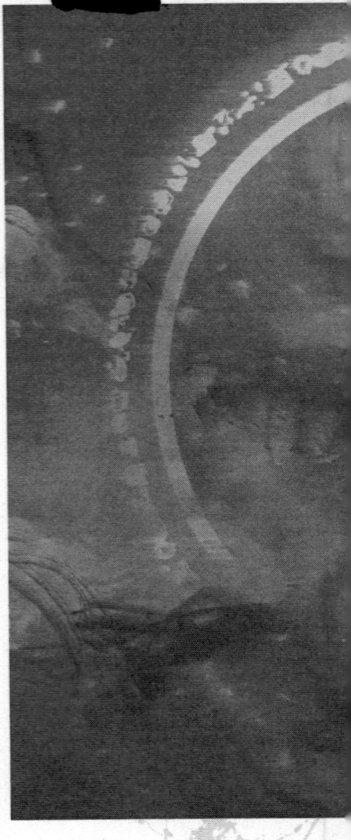

朗月西沉，暗夜無光，誰都知道黎明將至，但，又有誰能肯定，自己撐得到日出？

孫策撐了過來，在這天地最昏暗之際，用上狡猾得幾近可恥的戰術，把徐榮所有力氣都搾乾搾盡，但，一切都尚未結束。

「怎麼了？」孫策望著徐榮那掉落的黃紙：「是因為心靈得到解脫，所以掉下來了？」

徐榮想撿起那張黃紙，卻仍被拒之毫釐，無法觸碰：「不，應該是將這……貼到我身上的人出了什麼事，它才會掉落。」

語畢，二人立馬抬頭望向郿塢，城門內仍是一片寂靜，不，不如說，是靜得過分。

突然一股不安的情緒湧上孫策的心頭，令他不顧腹部劇痛，強行站了起來，並慢慢走向郿塢。

徐榮也掙扎著想爬起身，但手腳都抖得不能自控，只能無奈地道：「抱歉，我還要些時間才能回復……」

「我明白，若非龍脈擴展過我的呼吸，我也站不起來。」

而禰衡亦同樣顫抖著，但好奇卻勝過了恐懼，期待地說：「這就是所謂的不祥預感？」

「你跟得上嗎？」孫策嘲諷道。

「以這姿態或許不行，但——」一陣白霧繞過，禰衡轉化成色彩斑斕的鸚鵡，並飛到孫策肩上：「這樣就沒問題了。」

「嘿，毛色比之前鮮艷了不少啊？」

禰衡卻懶得理會。

「對了，翊，替我照顧好這腳軟的傢伙吧。」孫策再回過頭，向著樹林裡叫道。

孫策背後先傳出一聲野獸低鳴，須臾，則變成徐榮的驚叫，但孫策沒有回頭去看徐榮遇上翊的反應，而是死命地邁開腳步向前進。

到底鄮塢裡發生了什麼事？或者說，是要發生什麼事，才會令孫策如此不安？

孫策每前進一步，腦海裡都冒出一個可怕的新想法，令他肩頭越覺沉重，所以他乾脆深吸一口氣，摒除雜念，然後加快腳步。

終於，孫策抵達城門，而且多得深呼吸的關係，他的靈力已幾乎完全回復，雖然腹腔裡仍有奇怪的異物感，但不礙事。

他用力一推，鄮塢城門發出了響亮的吱啞聲，再度敞開。

映入眼簾的，是一個對於宅邸來說過分廣闊的前庭，恐怕能容納數千名士卒平排而立，但此刻卻不見軍馬，只見一張供案和三人在庭中央處。

其中兩人站著，分別在供案的兩側，另一人則躺在案上，袒露出碩大的肚皮，手腳都被劍釘在案上，動彈不得。

在供案右側的那人，高挑壯實，皮膚黝黑，身穿白衣，外表約莫二十多歲。

而左側的，是孫堅。

「你是誰？」孫策疑惑地望向那不認識的人，再望望躺著的董卓，最後望向掙脫了劍鎖的孫堅，再問：「你們在幹什麼？」

「無常華雄。」黝黑的青年答道：「你爹的同僚。」

孫堅再接著回答：「準備審問董卓這傢伙，不然還能幹什麼？」

「你……真的是老頭子？」孫策狐疑。

「當然。」孫堅沒好氣地道：「不然還能是誰？」

「說不定是被董卓偷換了身體？」

「你家公子想像力真豐富。」華雄似乎想開玩笑，但語氣和神情卻都冷冰冰的。

孫堅先是苦笑，然後搖了搖頭，道：「我們哪來的身體？」

「那也沒有被不明來歷的邪氣沾染，然後反過來要吞噬董卓吧？」

「應該……」孫堅倒是認真地感受了一下身體，看是否有異樣：「……也沒有。」

孫策鬆一口氣，似乎他剛才的不安只是自作多情而已，然後他才再問：「那你是怎麼掙脫那些劍的？是靠這個華老大嗎？」

「華老大？」華雄感到莫名其妙。

「哈哈哈！」孫堅大笑道：「他這樣子倒真的有幾分像綠林大盜的頭頭！」

「嘿嘿。」華雄奇怪地乾笑了兩聲，然後答道：「沒錯，就是靠我。」

「華老大這傢伙，在數月前已受命來附近調查，還正好就碰上董卓，加上又打不贏徐榮，就將計就計被擒，待再有同伴來時，就能裡應外合。」孫堅補充道。

「可是隔了幾個月，要怎麼熬？」

「時間對魂魄來說沒有意義。只要放鬆意識，幾個月一下子就過去了。」

「那只是發呆吧？」孫堅笑道，然後再為華雄補充下文：「還有，那些黃巾賊根本就不懂拷問靈魂的方法，而且殺無常會觸犯神怒，所以他們只能把這傢伙囚禁著，什麼都不敢做。啊，還有，那些賊似乎要用他來作什麼獻祭，一直在等時機。」

「他們等的，似乎就是官渡的那場大戰。」華雄說。

「你們脫險了多久？怎麼已經把情報交換得這麼清楚？」

「你和徐榮打了多久，我們就脫險了多久。」

「那你們是如何脫險的？不是兩人都被制住了嗎？」

孫堅不語，笑著望向華雄。

「很簡單，枷鎖困不住斷開的手腳。」華雄答道：「因為已是靈體，只需要一些時日，斷肢就能自行駁回，而我正好有數月的空閒。」

「夠了！」孫策聽得頭皮發麻：「不必詳述了。」

「好了，該做正事。」孫堅拔出短刀，然後用手在刀刃上一抹，冒出的卻不是尋常白霧，而是不祥的深綠瘴氣，刀口亦變成了同樣不祥的顏色。

「什麼正事？」

「這些賊子所不諳之事——」孫堅陰森地道：「拷問。」

孫策心中那份不安，再次浮現。

「這綠刃……是什麼東西？」

「毒咒。」孫堅淡淡地答道，然後另一隻手放在唇前，著孫策閉嘴。

孫策本仍想再尋根究底，卻不知為何發不出聲來，只能看著其父將刀刃慢慢移向董卓。

刀尖才僅僅刺到董卓的肚皮，他已立馬瞪大眼睛，發出極其淒厲的慘叫，整個人都在抽搐，嚇得孫策不禁後退兩步。

孫策也曾審問過敵人，也看過手下用可怕的方式拷問，卻從未見過有受刑者發出如斯慘烈的哀號，他很想知道孫堅到底幹了什麼，那刀口又是怎麼一回事？所謂的毒咒，是指刀上有毒，還是帶著劇毒的詛咒？

可是，他的嘴巴就是張不開。

孫堅沒再進一步，反倒收回了刀，董卓也因而緩了過來，不再哀號、抽搐，而是轉用極其驚恐的眼神，瞪著孫堅。

「如何？」孫堅冷笑道：「被放大了千倍的痛楚，可是連在生時都無法體驗。」

「你、你這惡鬼……」董卓無力地叫罵。

「只要你乖乖坦白，就不用受苦。」孫堅晃了晃刀，冷冷地道：「說吧，你們這幫黃巾賊的目的是什麼？」

「我、我們才不是什麼黃巾賊！」董卓堅毅地反駁：「是黃肩軍！」

孫堅不耐煩，於是讓刀尖在董卓肚上拖移了一下，令董卓再次悲鳴，其哀慟，連孫策也不禁暗暗發抖。

「你要我麼？黃巾軍、黃肩賊什麼的，不都是同一路子？都是那神棍張角搞的鬼。」孫堅再晃了晃刀：「說些有意義的吧？不然，我就直接剖開你的大肚皮，看看裡面裝的是什麼。」

雖然董卓的眼神仍然滿是驚惶，但他卻死命地緊閉自己的嘴巴。

「看你的嘴能有多硬。」說罷，孫堅便在董卓肚子上連刺幾刀，令董卓痛得昏死了好幾次，卻又馬上再痛醒了過來。

「如果是活人的話，被這樣刺早就解脫了。但可惜，靈魂卻沒有痛死這回事，你不說，我就永遠地折磨你。」

卻沒想到，董卓的嘴閉得更緊，甚至因為太用力而開始破皮，這倒讓孫堅無計可施了。

「可惡，本不想輕易用這招的。」孫堅嘆道，然後伸出空手，挪到董卓肩頭之上。

董卓嚇得直閉雙目，卻仍然不肯透露半字。然後，他的肩膀等到的，卻不是劇痛，而是一陣溫柔的輕拍。

「堅韌不屈，沒想到董卓你也是條好漢。」孫堅竟一邊輕拍董卓的肩，一邊溫柔地微笑，卻讓人更為心寒：「來，我不再刺你了，你就好好地説吧，你們黃肩軍的陰謀。」

卻沒想到，董卓的神情竟緩和了下來，甚至還張開嘴，並慢慢坦白一切：「黃肩軍，乃黃老之軍，是大賢良師為祖神軒轅所備的軍馬……」

孫策對董卓的話無心裝載，其神情卻彷彿有了極其重要的發現，他立馬回想，成為無常的自己，和孫堅第一次碰面時的情景。

孫堅先是重重地刮他一巴掌，然後，再安撫他紅腫的臉頰。

「這就是老頭你的能力？先是鞭笞，然後就裝模作樣地餵果子…」孫策滿腔怒火，卻又怎麼都激發不起來：「你當我是野馬來馴服？」

「馴服，可是很重要的。」孫堅冷冷地道：「畢竟我曾在不受控的馬背上吃過虧。」

曾有一次，孫堅在桂陽平亂時，因貪勝而以孤軍追窮寇，卻不料戰馬未馴，竟在半路被摔了下馬，並因此受了傷，但周圍卻沒有手下，只能躲在附近的草叢避風頭，幸好，後來手下們幸運地發現了他，但也因此養傷了十多日，耽誤了戰況。

這次死裡逃生，卻讓孫堅心裡，埋下了一顆怨恨的種子，直至他死後，成為了亡靈，這顆種子才發芽，成為了他的能力。

「我們管這種可外放的能力做『咒』。」華雄補充道。

「何必告訴這小子這麼多？他還未到那境界。」

「反正，就是你他媽的對我下了咒，對吧？」孫策心底裡氣憤得無以復加，但那股怒火卻再怎麼都燃燒不起來：「我就奇怪，我怎麼可能對你這老頭如此和顏悦色。」

「夠了，我就是為了不讓你妨礙我才下的咒。」孫堅瞪著孫策，說道：「靜！」

然後，孫策就說不出話來了。

「好了，董卓，繼續說。」孫堅回過頭來，繼續審問：「祖神軒轅是什麼鬼東西？」

「祖神軒轅即是軒轅黃帝，乃我等華夏之祖！」董卓氣道：「不准你對祂不敬！」

「軒轅黃帝？」孫堅不屑地道：「不過是那些中原貴胄的祖先，與我這吳人有何干？況且你不是西涼人嗎？怎麼也認中原人作祖宗？」

「待祖神軒轅一統天下，就再沒中原西域之分！」董卓眼神迷離地說道。

「可是，漢室所拜的，明明是昊天上帝，不是什麼祖神軒轅啊？」孫堅說。

「你怎麼知道昊天上帝這名號的？」董卓不敢置信。

「在先帝陵墓裡看到的，怎麼了？」

「昊天上帝，是只有皇室宗親才有資格知道其名號，並敬拜的蒼天古神。」董卓敬畏地說：「也就是祖神軒轅所要討伐的目標！」

「啊？難道蒼天已死的蒼天，就是指昊天上帝嗎？」

「沒錯。」

「不過，神仙打架的事，我們能插手嗎？」

「不，憑這魂魄之身，莫說插手，連見，也見不到那些真神。」董卓遺憾地道。

「那你們到底要幹什麼啊？」孫堅煩躁地問。

「壟斷亡魂。」董卓說：「讓那些自尊自大的天神失去靈力。」

枷鎖 二十三

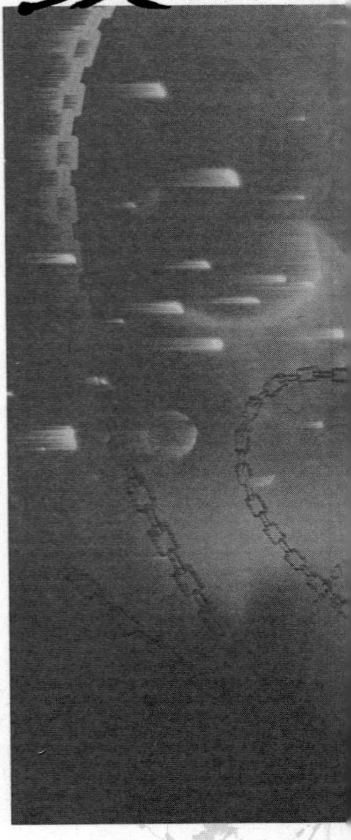

「所以，你們就是為了一些我們干涉不了的上層爭鬥，而擾亂亡魂界的秩序？」孫堅斷言。

「別說得這麼輕描淡寫！」董卓悲憤地道：「那將是神明的戰爭！」

「我對無法掌握的事沒興趣。」

「既然都問完話。」華雄說：「該解決他了吧？」

「不，我還有些事想知道。」

然後，孫堅走到大廳門前，向內窺探，然後問道：「你們要讓上面的大人物失去靈力的話，單單收編亡魂應該不夠吧？而且你們又同時把他們當士兵來用，那必定會有傷亡，所以，想必你們還有其他方法儲蓄靈力。」

董卓面色鐵青，比受拷問時更甚，他用力地緊閉嘴巴，卻仍然制止不了孫堅所下的咒，只見他的嘴慢慢打開。

但，董卓狠下心來，乾脆咬爛自己的雙唇和舌頭，嚇得孫策也不禁抖了抖。他因為制止了自己洩密，雖然嘴巴劇痛，卻仍興奮地大笑起來。

孫堅卻只是搖了搖頭，然後走回來，並伸手放在董卓那破爛的嘴巴上，一陣白煙冒起，煉成了一張義嘴。

「乖乖說，不准再幹無聊事。」

董卓氣得渾身發抖，卻無法反抗，只能順從地道：「那、那些靈氣……都各自被大賢良師選中的人保管著……」

「那你所保管的又藏在哪？」

「在、在肚裡……」董卓無力地說道。

孫堅忍不住笑了，然後拍了拍董卓的肚皮，說道：「哈哈，這倒是個藏東西的好地方！」

孫堅認真地研究董卓的肚皮，然後問道：「但這是用什麼方法儲起靈力？直接吞？那不會拉出來嗎？」

「不，是大賢良師所施的術，憑你們是無法辦到的。」董卓冷笑道。

「那就沒辦法了。」孫堅攤開手，並煉成了一根粗麻繩：「只好把你當成是儲存靈力的皮袋。」

「等等，你要儲蓄靈力來幹什麼？」華雄感覺不妙，驚訝地問。

「沒什麼，只是打算建一條屬於孫家的龍脈而已。」

「什麼!?」華雄喝道：「你可是無常，怎可——」

只見孫堅再將食指放到唇前，華雄就靜了下來，孫堅道：「拜託你了，要替我保密。」

華雄氣得滿面通紅，卻無法抗命。

而孫策，更是氣得連胎光都將要沸騰，卻也是連舌根都搬動不了。

此時，一把聲線傳入孫策耳中，不，那聲音感覺就在孫策耳朵旁邊輕語一般。

「你這就樣一動不動，什麼都不說不做嗎？」是禰衡的聲音。

禰衡？孫策心裡一驚，想問禰衡在哪，卻又開不了口，但他隱隱感到左肩有些沉，而那，正是禰衡變成鸚鵡後，與孫策一同走進郿塢時所站的位置。

他是什麼時候不見的？

「我一直都在。」禰衡彷彿知道孫策在想什麼：「只是在進來前有股不安的感覺，所以乾脆把自己變成無色無形，以防萬一。」

原來如此。

「那不安的預感，似乎就是你老爹的咒，越接近他，束縛就越強。」禰衡續道：「看來我也在不知不覺間被下咒了。」

「我知道你說不了話，也動不了。」禰衡說：「何況你老爹的陰謀，僭建龍脈這事，對你來說，其實也不是壞事，說不定你兒子還能因而成為王族。所以你什麼都不做，也很自然。」

孫策不禁握緊拳頭，並微微發抖。

但，他仍然說不出話來，只能在不被孫堅發現的情況下，偷偷地，斜眼望向禰衡所在的方向，並露出帶著疑惑的悲憤眼神。

「你是想問，我說這些話意欲何為嗎？」禰衡訕笑道：「我可是個吃著花生等看好戲的局外人啊，看戲的，自然不嫌事大。不，應該說，這戲就這樣草草收場，讓孫堅這老頭把我們完全玩弄於股掌中，很讓人不爽。」

禰衡滿是嘲諷的語調，也藏不住那不甘的惱怒。

但孫策卻只能回以一個無可奈何的眼神。

「你的能力不是傾聽嗎？那你有否傾聽過自己的內心？說不定能發現那老頭的破綻。」

傾聽，可不一定對別人，孫策，還從未傾聽過自己的內心。

還是說，其實只是不敢去聽？

在外人看來，孫策是個不可一世的英雄少年，十七歲就繼承亡父，雖然曾屈就在袁術旗下一段時間，卻沒有就此被埋沒，反而是潛伏了一陣後，竟能從袁術手上取回亡父的人馬。

然後，橫掃江東。並因而獲譽小霸王。甚至有人認為，他就是項羽轉世。

但，在他的角度，說服袁術，和橫掃江東，都不是一蹴而就，而是一步一步，歷經艱苦，猶如在狂風中過獨木橋一般。他的功績，與其說是闖出來，不如說是死命地熬出來的。所以當他死後，成為了亡魂，這一切都宛如葉落，風過無痕，餘下的，就只有無盡的懊惱。

孫策認為自己也不過是個普通人。

卻並非是一個輕易屈服的普通人。

他擔心傾聽自己的內心，會發現自己也不察覺，或者是早已察覺，卻一直自欺欺人的齷齪一面。但即使擔心，他仍然義無反顧地潛入自己的內心，因為內心的深處，有齷齪，卻也許有著他所追求的答案。

掙脱父親枷鎖的答案。

孫策緊閉雙目，深吸一口氣，將注意力都集中在自己身上。

外間的聲音漸漸變得朦朧，孫策感覺自己的存在彷似不斷收縮，並漸漸維持不了人形，慢慢變成了一個球體，一個有如黑白雙魚互相追逐的球。

然後，噗通一聲，孫策的意識就墮入這球體之內。

球內，説像海，卻更稀薄，説像霧，卻更廣袤。

就像一片無邊無際的虛空，卻又並非一無所有，而是一切一切，都融和成一體，有點黏稠，又有點抑壓。

對了，是混沌，一望無垠的混沌。

孫策的意識浸泡——還是該説是飄浮？——在這片混沌之中，毫無方向，分不清上下左右，更不知要去往何方。但他並不困惑，反倒覺得舒適自在，就如回到了最初最初，那潛意識深處的，作為生命最初的回憶。

然後，一隻巨大無匹，卻略顯消瘦蒼白的纖手，從混沌的深處伸來，溫柔地托住了孫策，再將他帶出混沌。

那是大喬的手。

「真沒想到，你在我心目中……」孫策抬頭，望向巨手的主人，不禁嘆道：「竟是如此龐大的存在。」

如山般龐大的大喬，用手輕輕托住孫策，並用冷淡且嫌棄的目光望著他。

這裡，除了龐大的大喬，還有一大堆不成條理的人和物。

仲謀、叔弼、季佐還有公瑾，分站世界的四邊，托起天地，而尚香和紹兒，則猶如日月，繞著天空追逐，而天空的那片黛色，則是象徵孫策之母吳夫人的顏色。

大地上布滿孫策所去過的山河景色，卻不按原有的南北西東編排，吳郡在正中央，壽春、盧江、江都和長沙卻就在旁邊，這些地方都是孫策曾定居或暫住，可稱為家的地方。

而在壽春，他曾暫住過的大宅旁，有一座宛如宮殿的建築，卻沒有房頂，只見一個身披黃袍的人，寂寞地坐在龍椅之上。

整個大地上，都是孫策所認識的人和亡魂，但都在各忙各的，大部分在練武，卻沒有交集。天空上，偶爾有幾匹馬踏空飛過，還有鸚鵡、灰鴉和黑鴿在穿梭。地上還偶爾會發生地震，並產生裂縫，讓支撐著天地的四人都苦不堪言，而那些裂縫的深處，還隱約傳出孫堅的聲音。

孫策幾乎忘記此行的目的，他只想沉醉在這個世界裡，什麼都不管。

但在高空，凌駕在大喬頭頂之上的位置，有一個突兀的白銀囚牢在飄浮著，於是孫策便浮上去一探究竟。

只見牢裡鎖住一個披頭散髮，雙手染血，而且臉頰上有道血紅箭疤的人，他無視孫策，只管趴在牢底，對著大地聲嘶力竭地咆哮。

那人亦是孫策，卻是只有仇恨和憤怨的孫策。

「你……」孫策望著籠中的孫策：「莫非就是被司命封印了的那另一半的我？」

孫策再望向怨靈孫策所嘶吼的對象——那片不時震盪的大地。

「咒就在地底裡？」孫策説道。

這句話引起了怨靈孫策的注意，他僵硬地轉過頭來，望向孫策，然後飛撲過去，卻硬生生撞到白銀囚牢的欄杆上，但他毫不在乎，把兩手伸出囚牢外亂揮亂抓，臉孔也緊緊貼住欄杆，用力地想擠壓出去。

「帶上我！帶上我！」怨靈孫策用恐怖的腔調咆哮著。

孫策卻平淡地飄到籠邊，抓住怨靈的手，然後如自言自語般説道：「説什麼呢？你，不就是我嗎？」

然後，怨靈那雙血紅的雙眼竟慢慢褪色，變回清澈的黑白，接著，怨靈更開始漸漸化成暗紅色的瘴氣，滲到孫策的體內。

就這樣，孫策那被封印的怨恨回來了。

「沒想到你這麼快就需要回這力量。」司命項羽的聲音突然傳出，嚇得孫策四處張望，再上下搜索，卻到處都看不見項羽的身影。

「你一直跟著我？」孫策不滿地問。

銀牢突然消散，化成光粒，然後聚成人型，變成項羽現身，並道：「不，我只是被留下作封印的那點點靈力而已。」

孫策曾在烏江遇上借用了項羽魂魄的司命，由於孫策是借助怨靈的力量來速成無常之道，所以司命項羽便將孫策的那一半怨惡之靈封印。

「為什麼如此輕易就解放了我的怨恨？」孫策不解。

「你是不是誤解了封印的理由？」

「不是因為半身惡靈的我，沒資格當無常嗎？」

「不，是為防你控制不住憎恨和憤怒的力量而已。所以當你需要時，可隨時取回，當你快要控制不住時，又可隨時再將之封印。」

「這麼方便的嗎？」微怔過後，孫策才站直了身，然後向項羽鞠躬道謝。

項羽笑了笑，便再次化身為銀牢，懸在半空。

「好。」孫策握了握拳，感受取回怨靈那一半力量後的感覺：「該去痛毆那老而不了！」

然後，孫策俯衝向地表上的裂縫，直抵自己世界的深深處，並發現了那冒著不祥暗綠瘴氣的咒，便一拳將之粉碎。

符 二十四

黑夜將盡，天邊漸漸泛起微光。

晨曦灑落在孫策臉上，才讓他回過神來。

他發現跟前是騎著翊的孫堅，還順道載著躺平的董卓，然後華雄和徐榮一左一右的走在翊的兩側，徐榮的腳步有點蹣跚，而禰衡則回復了人型，走在孫策身旁。

眾人都一副懵懂出神的表情，似乎又是孫堅的所為。

孫策環視四周，發現已經遠離了郿塢，並向著長安進發。

隨著日光初現，周邊都開始變得朝氣蓬勃，讓這一支亡魂隊伍顯得格格不入。

不知是否封印解開的關係，孫策眼中的景色似乎比以前鮮艷得多，這才讓他想起，成為亡魂之後，世界就變得灰濛濛一片，若不是這刻再看到色彩，恐怕他就要對那灰暗的世界麻木了。

繽紛的景色，喧囂的環境，讓孫策重新感受到何謂生命，同時也對失去生命的自己，有了更鮮明的感覺。

孫策不禁伸了個懶腰，然後深吸一口氣，並呼喊道：「天氣真好呢……」

除了孫堅外，眾人都嚇了一跳，並因而回過神來，但似乎都被下了封口令，只能向孫策投出訝異的目光，只有禰衡例外，他擺出一副早就料到的討打表情。

然後，孫堅才回頭過來，半驚半喜地問：「你……竟能解開我的咒？」

孫策卻直接一個箭步衝上去，一拳揮向孫堅，直將他打下翊的虎背，那力度之大，猶如在痛毆血海深仇的死敵。

「死老而不，該來算算帳了。」孫策舐了舐沾在拳上的，孫堅的血。

孫堅雖從虎背墮下，卻仍能從容著地。他拭擦了傷口上的血跡，卻露出欣慰的笑容。

「雖然不懂你要算什麼帳。」孫堅拔出古錠刀：「但想想，為父好像很久沒陪你玩耍了，策兒。」

只見孫策身上騰升出黑白兩道靈氣，纏繞全身，然後化成了一件黑鐵白銀交錯的輕甲，手上則握住一桿銀柄黑鐵槍。

不單如此，孫策竟連身高也拔高了幾寸，樣貌也變得稍為成熟，大概將近弱冠之齡，是孫堅生前無緣一睹的臉容，也和孫堅當下的樣貌更加相近，但神情和姿態，卻讓人一眼就能分辨出兩人。孫堅沉隱而帶陰暗，孫策則張揚且瀟脫。

「孫策早就死了。」符將槍尖指向孫堅：「現在的我只有一個名號——符！」

「別以為換個稱呼，就能擺脫自己本來的命運！」孫堅提起刀直劈過去：「生為吾兒，就是你的命！」

符旋著槍，用槍尾挑開孫堅的直劈，然後待槍頭再次轉向孫堅時，馬上連消帶打，將槍尖推出去，直刺孫堅的面門。

孫堅本想轉身躲避，卻發現槍尖微微地左右搖晃，才察覺這一刺帶有旋轉的餘勢，隨時可變招成橫掃，無論他是向哪一邊轉身，都會被追擊。

無奈之下，孫堅只能向後彎腰閃身。

這一彎腰，雖躲過符的後著，卻也讓自己的馬步崩壞。要盡快重回站立的迎戰姿勢，就只能向後翻身，卻會露出極大破綻，符只消將槍頭對準孫堅的丹田，向下一刺，就能將他釘死在地上。

不過兩招，孫堅已陷入敗局。

電光火石之間，孫堅仍不斷思索應對之法，然後，他學著符的旋槍，將左右手交錯撐在地上，並連頭也頂在地面，再把頭部當作中心，雙手向外用力，旋起自己的身軀，並借助回旋的力量，雙腿向斜上一蹬！

孫堅趕在符下刺之前，將對方踢開，同時乘著蹬踢之勢翻身站了起來，逃過一劫。

符雖被狠狠地蹬中，卻只是向後退了兩步，便已先於孫堅站穩，主導之勢仍在，但他卻不作追擊，反倒收回了槍。

「別再藏藏掖掖了。」符挑釁地笑道：「還是你想待敗北後，再用自己還沒拿出真本事來當藉口？」

「大言不慚！」孫堅也笑了，彷彿這場戰鬥就如他所言，是久違地陪兒子玩耍一般。

孫堅攤開雙手，四周的空氣全都湧向他，卻又突然靜止了下來，周圍似乎變成真空，莫說空氣的流動，連聲音都被凍結了。

接著，孫堅的身上冒出金色強光，光芒過後，只見其身上的白袍白甲多了金邊花紋，連古錠刀都變得金光燦燦，刀柄亦變長，化成一柄古錠大刀。他背後仍不斷噴發熱氣，將碰觸到的空氣都扭曲，看上去就像一件用蜃樓織成的羽衣。

「我還是第一次在實戰上使用龍脈的力量。」連孫堅也被自己那神仙般的姿態震懾了：「若下手重了，可別怪我。」

金光一閃，符僅憑神經反射避開，然後意識才反應過來，孫堅這迅雷般的一擊。

符望向那金光閃去的方向，只見不遠處的樹林竟被劈出一條小徑。

「這太扯了吧？」符大吃一驚，回頭望向孫堅，發現對方也一臉驚訝。

「不愧是龍脈的力量……」孫堅望著剛揮舞的大刀，不禁對這份力量心生敬畏。

「這還讓人怎麼打啊？」符口上雖如此說道，但臉上卻露出蠢蠢欲動的表情，同時曲膝，一副準備前衝的姿勢。

「等等。」反倒是孫堅皺起眉頭：「我可不想隨便使用無法控制的力量。」

「想投降就直說吧！」符提起槍，準備前突。

「所以說，我不向你下咒的話，就什麼事都不用幹了。」孫堅無奈地響了響指：「華雄、徐榮，麻煩幫我爭取點時間。」

華雄和徐榮就如木偶一般，擋在孫堅面前，而他自己則席地而坐，開始冥想，以掌控龍脈的力量。

「起碼讓他們說說話吧？」符抱怨道：「和兩個啞巴打，一點意思都沒有。」

不耐煩的孫堅咂了咂舌，卻還是順了符的意，再響了發指。

「混蛋父子……」徐榮不滿地道：「是把我們當寵物還是玩具了？」

「孫堅，別以為你要做的事能瞞得過天。」華雄淡淡說道。

兩人雖然口頭不滿，身體卻仍受孫堅影響，不受控地攻向符。

華雄提起雙斧，攻向符的下路，而徐榮則煉出劍，踏著華雄的背跳起，並借下落之勢，劍刺符的胸膛。

符卻不躲不避，只把槍直豎在身前，卻正好擋住了徐榮的刺擊和華雄其中一把斧的攻勢，而華雄的另一把斧，則被他一腳踩在地上。

「徐榮，還你一拳！」符擊向徐榮腹部，其用勁之大之深之遠，直將徐榮打飛到數丈外：「你早已元氣大傷，還缺了一臂，就先歇一歇吧。」

然後，他再拔起長槍，開始猛攻華雄。

由於華雄其中一把斧被踩落，所以只能以單斧頑抗，但面對符如雨般的槍刺，無從反擊。無奈之下，他只能用力踏地，揚起一片沙塵，稍稍阻礙了符的攻擊，並趁機再煉出一把斧，以準備反攻。

然而，沙塵尚未退去，就被符那繚亂的狂攻吹散，華雄雖然重獲雙斧，卻仍是毫無還擊之力，甚至開始跟不上符的攻擊，身上的刺痕越來越多。

「你這臭小子！不知疲累的麼？」華雄大喝，渾身噴湧灰茫的霧氣，卻不為氣煉什麼，只是希望阻礙符的視線，為自己爭取歇息的機會。

符卻能聽出華雄所在，所以不受煙霧阻礙，直刺華雄，其刺速之疾，直使槍柄周圍形成了一陣風，將霧氣刺出個空洞來。

銀柄黑鐵槍結結實實地刺入華雄右肩肩頭，發出碩大的聲響，是骨折的聲音。

這一擊讓華雄無力再反抗，卻奇怪地，不見傷口有血滲出。

「我用的是槍尾。」符笑説道：「畢竟無常不能自相殘殺，這點規矩我還是懂的。」

華雄無力地跪下，卻欣然地笑了：「後生可畏。」

符對於自己如此輕易就戰勝徐榮和華雄二人，稍稍感到錯愕，看來自己的怨靈在被封印的期間，也並非虛度光陰，而是與自己同步成長。

然而，符沒太多時間感慨自己的成長，因為眼前的對手，似乎已經準備就緒。

雖然孫堅仍然盤坐冥想，但其身邊的金光開始收斂，戰甲上那浮誇的的黃金紋飾，也逐漸轉成暗綠色，只有那蜃樓羽衣，仍然熾熱沸騰。

孫堅徐徐張眼，細察雙手，嘆道：「雖然還未完全馴服，但總算是能駕馭。」

符亦一同感嘆起來：「這就是靈魂的可能性嗎？」

孫堅仍然盤膝而坐，然後，飄浮了起來。他右手一張，擱在地上的古錠大刀就被吸到手裡。他旋了旋刀，再用力一揮，刀身上的金就被震落，露出暗綠色的刀刃。

「原本金燦燦的不好嗎？」符嘲諷道：「老而不你就如此喜歡這種陰沉的綠色？」

「金色太俗氣。」孫堅浮在半空，右手執刀，左手鍍托腮，悠哉地答道：「而且那是皇家的顏色，像是被龍脈操縱似的。」

「既然你這傢伙也不喜歡被操縱，卻為何要玩弄著我們幾兄弟的人生？」

「這就是你找我麻煩的原因？」孫堅不屑地道：「吾為父，汝為子，僅此而已。」

「我也煩厭總像個怨婦般抱怨。」符輕晃鐵槍，看上去很不經意，卻晃得既慢又充滿韌勁，槍尖迴繞，猶如騰龍：「反正，只要我贏了，你就再沒資格管束我。」

孫堅不但沒有動氣，反倒欣慰地笑了：「策兒啊……你果然很像我。」

「就是因為這點，我才恨透你！」符雖然情緒激動，仍不徐不疾地揮繞長槍，並向著孫堅，劃出一道讓人讚嘆的弧。

孫策 二十五

孫堅望著那道新月般的弧線軌跡，滿臉都是作為人父的自豪，卻不知在何時，他的大刀也揮舞起來，由下而上，劃出幾乎同樣的弧。

兩道弧緩緩靠近，彷彿流星即將相遇。然後，交錯之時，本來平穩的空氣，頓時化成風暴中心，槍和刀凌亂地交鋒，卻都是點到即指，不作硬碰，免損鋒銳。

大刀和長槍不斷對點，速度越來越快，颳起的風足以捲起沙塵。但二人揮舞兵器，仍是沿著那完美的弧而去，每一招都無比凌厲，卻又帶有餘力，以便隨時變招，幻化無窮。

孫氏父子兩人，不約而同地仿傚，並吞噬了徐榮的劃弧劍技，並化為自己的招數。

奄奄一息的徐榮，雖然身在遠處，卻仍能感受到這兩人用著自己的劍技，而且每過一招，都變得更強，如果是以前的徐榮，或許只能悲嘆，但此刻的他，只感到無比興奮，但又對自己無法參戰而無比失望。

至於華雄，早在董卓軍中的私下比武中，先後敗給徐榮和呂布，再加上後來又敗在孫堅戈下，已令他深知自己在武道上的極限，充其量也只是個高手，無法達到徐榮和孫堅在生時的程度，更莫說孫氏父子當下這種遠遠凌駕於人的半仙境界，或許徐榮還能追上，但他？

連招式都看不透。

華雄卻不因此自卑，因為他知道領兵才是屬於自己的領域，所以他能坦然欣賞這場不知目的為何，卻近乎怪力亂神的決鬥。

雖然武人能接受、能投入這兩父子的戰鬥，禰衡卻無法理解，雖然孫堅要私鑄龍脈一事，的確像個入了魔的壞蛋，但符似乎根本就不在意這點。

當然，他也明白，孫堅還用咒控制了他們，但符的怒火，卻不只於此，還有孫堅在生時對孫氏兄弟的惡行？似乎還有其他更隱密，卻更兒戲的理由。所以在他看來，這場架，有點像鬧劇，卻是場令人啞口無言的鬧劇。

刀槍仍在交錯，速度卻開始減緩，二人由速度與準繩的較勁，變成力量的比拼，揮舞的速度下降了，但每一擊的勢頭卻重了，兵刃相擊的聲響，也由最初的叮叮之聲，變成了雷鳴般響。

孫堅越來越享受，符卻覺得槍頭越來越重，因為兩人的每一招，每一式，都極其相似，就像在對鏡的交鋒一樣，令他發現越來越多自己與孫堅相似的地方，這種感覺就像刀刺一般，令符越來越難受。

符不禁心中自問：「難道，我就沒法擺脫這老而不的陰影？」

符的每一槍，似乎都在向孫堅咆哮這問題，而孫堅每一刀精準的回擊，都像在回答孫策：「沒錯，你永遠都擺脫不了。」

然後，孫堅開始由守轉攻，並奪過戰鬥的節奏，符亦因而陷入下風。

無論力量，還是速度，孫堅都開始凌駕於符。

本來在交鋒之初，符還能感覺得出，在武技上，自己明顯強於孫堅，所以為了彌補靈力上的劣勢，他選擇冒險搶攻，這一著確實奏效，所以戰鬥的節奏一直都掌握在符手上。

但他沒想到，孫堅竟能在交戰中不斷進步，雖然符自己亦同樣。因為靈魂不同於活人，活人欲進步，要透過修煉，而修煉大多為了磨合靈魂和肉身，使肉身得以跟上靈魂的步伐，但靈魂卻沒有肉身這負累，不需與身體協調，只要想得到的動作，幾乎就能做到，在武技上，只要有新領悟，就能馬上反應出來。

在這一戰上，有龍脈加持的孫堅，得著遠大於符，所以他的境界才能不斷騰升，並遠超於符。

終於，符跟不上孫堅的節奏，被其一招回身橫斬後的連消帶打，以刀柄狠狠敲中了後腦。

符滿天星斗，幾乎連站都站不穩，思緒更開始飄搖不定。

仇恨，雖然總被認為會蠶食人的心神，卻往往也是人最大的動力來源。符本以為憑著對孫堅的仇恨，就能讓自己清醒過來，站穩腳步。

然而，他的意識迷糊得連仇恨都維持不住。

或許，是因為他根本未如自己想像般痛恨自己的父親。

人，往往深知自己的癥結，卻不肯面對，所以不斷找藉口、找理由去逃避。

「我真的恨他嗎？」符心中自問。

不知為何，符在這危急關頭，卻想起了那一晚，他人生中最幸福，亦最痛苦的一晚──

明月，夜深，人卻未靜。

大廳仍然傳來陣陣把酒高歌的吵鬧聲，參加婚禮的賓客們似乎意猶未盡，卻不敢來鬧小霸王的新房，所以只好在大廳裡狂歡。但在孫策的眼中，整個世界似乎就只有自己，和眼前的伊人，昨日仍是陌生人，今日卻成了結髮妻子的，大喬。

她疲累地攤臥在床，被褥隨著呼吸緩緩起伏，孫策見她那皎潔如月的臂膀翻了出來，便憐惜地為她蓋好被子。

孫策不經意瞥了一眼案上的銅鏡，才發現自己臉上掛著奇怪卻幸福的笑容，為免嚇倒大喬，他披了件大衣，便躡手躡腳地跑出後園。

他倚在亭子的欄上，望著銀月，回味方才的溫存，這或許是孫策人生中最幸福的時光。

「策兒，睡不著嗎？」

孫策往聲音的方向望去，只見一襲黛色映入眼簾。

「娘，你也睡不著？」孫策仍收斂不住笑意。

「還說什麼睡不睡的，大廳那班傢伙就是要喝個至死方休，我這作主人家的，能輕言就寢嗎？」吳夫人也來到亭內，背靠欄杆，本想端起母親的架子，卻禁不住打了個酒嗝。

「哈哈，我看你只是想趁機大喝一頓吧？」孫策放肆地笑。吳夫人不忿，一掌巴向他的後腦。

「還好意思說老娘。」吳夫人把臉貼到孫策的面前，並露出嘲諷的表情笑道：「看你那得戚的表情，就這麼喜歡大喬嗎？」

「還好吧。」孫策笑意更盛：「要配得起你兒子這等英雄的，自然只有大喬這般的美人。」

吳夫人咂了咂舌，然後再巴了巴孫策的頭。

「痛啊，今天是你兒子大婚之日，可以別這樣嗎？」孫策雖然抱怨，但仍是掛著那帶點猥瑣的笑臉。

「放心吧。」吳夫人卻感慨起來：「這晚過後，就再也不打。」

「真的？」

「當然，畢竟你已經是別人的夫君，不再是小孩了。」

孫策一怔，然後摟著母親的肩道：「我既是大喬的夫君，也是你的兒子。」

吳夫人卻再巴了孫策的頭，不滿地道：「別在我兒子的大喜日子裡惹哭老娘啊！」

「我倒想看看我家鐵娘子的哭相。」孫策的笑容總算收斂了，語氣也變得沉穩：「上一次，已經是那老而不的喪禮完時了吧？」

吳夫人沉默不語，抬頭望天，思緒似乎飄向了遠方。

須臾，她才望向孫策，邊輕撫他的臉龐邊說：「你真的……和他越來越像了。」

「夠了。」孫策冷冷地道，卻沒有挪開吳夫人的手，而是蓋在她的手上，輕輕地握著：「我說過不喜歡別人說我像他的。」

「可是，你連找老婆這趟事上，都和他很像啊？」

「什麼意思？」

「你不知道你爹當初怎麼娶老娘的嗎？還以為張紘那傢伙一定會跟你們說。」

「他只懂吹捧老爹而已。」

「那倒是。」吳夫人笑了笑，然後回憶當日的情景，說道：「你爹啊，幾乎是搶我過門的，那時，我還是個黃花閨女，你爹不知從何處聽到我的傳聞，便上門求親——」

接下來的話，孫策只有斷斷續續的印象，僅僅是知道自己和其父孫堅一樣，都是自把自為硬闖別人家門，然後恃著自己威風，便認為別人樂意嫁予自己這事，已為他帶來極度的衝擊。

「——若我嫁予他後過得不好，也是我命該如此，於是我便答應了嫁給他。」吳夫人一說到自己當年與夫君的相遇，總是會忍不住從頭到尾說一次，而且還相當投入，以致她沒發覺孫策神色大變。

「不過，雖然剛嫁給他時是很不滿，甚至對他恨之入骨……」吳夫人繼續陶醉過去：

「可是，和他朝夕相處後，卻令我漸漸……愛上了他。」

孫策不住心想：「那大喬呢？她是怎麼看我的？她也是迫於無奈才嫁給我的嗎？她也對我……恨之入骨嗎？」

孫策很想知道答案，但他的喉頭卻僵住了，半句話都說不出來，他只感到自己的心臟，像被誰揪住了一般，但比起痛，更多的是苦。

這是孫策人生中，最懦弱，也最痛苦的一晚——

自那晚以後，孫策就再沒碰過大喬，頂多是在她打瞌睡時為她加衣，連端蜜梅給她吃時，亦小心翼翼，或乾脆就擱在几上，以免不小心觸碰到大喬。

孫策以為先這樣保持距離，再慢慢接近，就能和大喬重新開始，待她能真正愛上自己時，才再次抱她。

卻沒想到，那一夜，就已讓大喬懷上身孕，更意想不到的，是孫策在兒子即將出生之際，竟遭到刺殺。

若非于吉孫鍾不惜犯天條，為孫策續百日之命，孫策連自己兒子的臉都見不上。

然而，縱使兒子是見上了、抱過了，但和大喬的關係，卻毫無寸進，而且因為孫策自知命不久矣，所以越發不敢靠近大喬，與其讓她對自己有了好感，然後再嘗喪夫之痛，那不如，就讓她把自己當成無關痛癢的人好了。

這續來百日的每一天，對孫策來說，都是煎熬，他終日沉溺在自責與悔恨之中。

本來，孫策對父親的恨意，在孫堅逝世之時已隨風消逝，但此刻，他再度恨起了父親，恨他生下了自己，生下這，和他一樣任意妄為的自己。

於是，當他不小心瞥見銅鏡，看到那和孫堅日益相像的自己，不禁對鏡怒吼，卻令臉頰上的箭傷破裂，還回那在百日前就該上繳歸天的命。

倫常是籠，家國是牢，血緣是枷，姓名是鎖。

唯有生死，眾生平等，再無家國，亦無人倫，逍遙物外，自在無常。

「想投降就説吧，別在那裝暈扮昏的。」孫堅的嘲諷，把沉淪在過去的符拉回來了。

「呼，知道了……」符舒了口氣，神情卻變得爽朗：「我認就是了。」

「認？認輸麼？」孫堅察覺有異。

「認，認我其實早就不恨你了。」符握著槍的手冒出白煙，卻見黑鐵長槍竟被漸漸化去，然後，符的雙掌變成了一黑一白：「我恨的，只是像你的我自己。」

「那，不打了？」孫堅失望地問。

「怎麼可能。」符笑道，然後空手擺出迎戰的架勢：「來吧！」

「空手上陣？你要老子麼？」孫堅氣得一刀劈過去，卻控制住力量，是符能勉強避過的速度。

符卻不躲不避，只伸出右掌，硬生生地擋住了孫堅的刀。

「才不是空手，槍已化成我的雙手了，呃……還是說，是我的雙手已化成了槍？」符左手伸出三指，作槍尖之狀，然後向前一刺，竟真化成了一道槍氣，直取孫堅面門：「反正，吾手即槍，槍即吾手！」

「媽的，這什麼玩意!?」孫堅勉強避開：「你這臭小子怎麼想到這種詭異招式？」

「我只是回想起……」孫策不自覺地露出奇怪卻幸福的笑容：「這雙手撫弄著世間上最珍貴的至寶時的觸感，然後再想到，手，不就是人最渾然天成的探索之器，同時也是最渾然天成的兵器嗎？」

世間至寶，孫堅想到的，卻是玉璽。

真相 二十六

符的五指，變化無窮。

當他豎起雙指，便能化為利劍。

直起四指，以尾指作刃時，又堪作刀使。

只伸出食指和拇指時，則化身為戈。

在戈形之上，再將尾指豎直，便成為畫戟。

再加上先前的槍形指法，彷彿天下百兵，都融入到符的手上。

沒錯，這還只是單手而已。

不過，符亦沒時間詳細構想這些指形之法，但單是常見的五種兵器之形，在符手上，已能施展出無窮無盡的招式。

劍形，柔軟精準。

刀形，剛猛迅疾。
戈形，勾刺難纏。
戟形，霸道無匹。
槍形，昂揚淩厲。
而且以手作形，兵器的重量和揮動時的負擔，都不復存在，所以符能更靈巧、更迅疾地揮灑出每招每式。
「雖然，肉身之手很脆弱，但亡靈的手，卻充滿無盡的可能！」符擺出劍指，輕盈地在孫堅的大刀長柄上一劃，就劃出一道深刻的劍痕，然後，長柄就此斷開兩截。
孫堅拋棄無用的長柄，讓大刀又變回刀。
「反正大刀也跟不上你的速度。」孫堅邊說邊砍過去。
卻被符以戈形從容勾住，動彈不得。
「說得好像刀就跟得上我似的。」符笑道。
「我不懂。」孫堅勉強地抽回刀，不解地問：「你死後一年都不到，為何卻能突破一重又一重的障礙？就算有著十年修為的我，再加上龍脈之力，也無法做到這種荒唐的事！」
符想了想，然後答道：「或許正因為你覺得是荒唐事，才沒想過要去做吧？」
孫堅無言以對，連他手上的古錠刀，也再撐不住符的破竹之勢，被戟形狠狠地揮出數丈之外。
符想將劍指擱在孫堅項上，卻被對方一巴甩開。

「我明白了，這種荒唐的事，我的確是無法想像。」孫堅淡淡地道，只見方才他好不容易才改變的綠色花紋，正逐漸被失控的金色之氣反噬，連他的雙掌，也化成惡俗的金色：「那我能做的，就只有東施效顰了！」

失控的金色之氣不單蠶食孫堅的戰甲，更穿透衣衫，攀到他的頸項和手腳之上，甚至沒入血管之中，孫堅一臉痛苦，卻不打算制止，還是，已無法制止？

孫堅抵不住痛楚，朝蒼天咆哮，竟噴發出一道光柱，直衝散一片白雲。

然後，他便虛脱地跪倒地上。

「策兒，救我……」孫堅用微弱的聲線説道。

「救你？」符驚訝道：「要怎麼救？」

「我是説，教我！」孫堅勉強地提氣高喊：「教我，你一次又一次突破自我的方法，説不定，就能讓我真正地控制住這龍脈的力量！」

「為什麼要教你？好讓你去實現那私鑄龍脈的邪惡大計麼？」

孫堅似是無言以對，但越來越劇烈的痛楚，卻讓他不能自已。

掙扎了一會後，孫堅終於還是開了口，但他的語氣，除了龍脈所帶來的痛楚外，還夾雜似是無盡的悲愴：「你……以為我鑄龍脈是為了誰？」

此刻，符才想到，自己未有思考過，孫堅鑄龍脈的目的，當然，鑄龍脈是為了謀皇位，但孫堅已死，難道亡魂還能當皇帝麼？雖然能被追封帝號，但對孫堅自己來説，又有何意義？

「司命郎……是什麼東西？」符看似答非所問。

但其實，符記起了，他在泡龍脈時所看到的孫堅的過去，他在撿到玉璽時，對朱治所說的的那件事——孫鍾說自己曾與司命郎有過交易，用三個瓜兒換來帝皇之命。

孫堅雖強忍著煎熬，仍欣慰地笑了，然後答道：「司命郎就是司命……」

「那瓜兒……」符想到最壞的可能。

「那不知是我聽錯，還是孫鍾那老而不故意說錯。」孫堅語調中摻雜了些許怒意：「是娃兒，不是瓜兒。」

「一個……」符用顫抖的手，指了指孫堅，然後再指了指自己：「兩個？」

孫堅緊閉雙目，默默地點了點頭。

「那他為什麼要假惺惺地為我續百日之命？」符無力地問道。

「那老傢伙……是真心為兒孫著想，只不過，他眼中的兒孫，是所有兒孫，而非特定的我這兒子，或是你這孫子。」

「為了有兒孫能坐上帝位，就不惜犧牲我們？」

「還不只，司命要求的是三個娃兒，還差一個。」

「所以，你是為了仲謀他們，才去鑄龍脈？」

符終於明白孫堅的用意，但孫堅已無法回答，龍脈突破了他的掙扎，一口氣吞噬了他。

只見孫堅渾身閃爍著金光，戰甲如波浪般變化著，由甲冑，化成龍袍，連神態和表情，都找不著孫堅的痕跡。

「竊國毛賊，曾聽此言否？」附身孫堅的龍脈說道：「明犯強漢者，雖遠必——」

「閉嘴！」符暴怒不已：「你這被時代遺棄的漢朝亡靈，快滾出老而不的身體，我還有話要問他！」

然後，符一掌化劍，一掌作戟，直衝向對方。

被龍脈吞噬的孫堅，卻不等符衝到跟前，只見他右手向上一揚，然後符的腳下便劇烈地震盪著，令他站都站不穩，更莫說要繼續衝刺。

「止戈為武，一切的武，都是由腳步而起，亂了腳步，就是亂了武道。」龍脈說話的同時，左手向下一揮，竟颳出了一道刀風，直斬向符。

符卻借地震之勢，讓自己隨勢而擺，令刀風僅僅擦過肩頭，但其餘威，竟已足以撕裂符的戰甲，並劃出一道不淺的傷口。

為了儘早逃離震盪範圍，符連滾帶爬地走出地震帶，卻沒想到，龍脈竟能自如地控制震波，令其一直緊追著符。

符見無法逃離，就換個思路，嘗試去適應這陣陣的震盪。

但龍脈卻沒仁慈到讓符有足夠時間去適應，他不斷颳出風刃攻擊符，符只能手忙腳亂地翻滾躲避，雖然護住了要害，也保住四肢，卻不斷地增添新的傷口，靈力隨之流失，敗北只是時間的問題。

符緊咬牙關，然後雙手握拳，化作錘形，全力地揮向地表。

雙錘著地，其勢直將符推升至半空，令他終於擺脫了煩人的震盪，卻又陷入另一個困境。人在半空，是比站不穩更身不由己的狀態，但幸好符在揮錘時已計算好角度，他飛向的方位，正是龍脈的所在。

符將左掌化槍，右掌化戟，到底是直刺，還是橫掃，就讓龍脈煩惱到最後一刻。這是符所打的如意算盤。

龍脈卻不讓符如願，他握緊拳頭，然後彎身聚氣，只見金光凝聚到拳上，越聚越大，越聚越光，符不必等他出招，已大概想像得到，若吃上這一擊，說不定就再沒下文了。

然而，身在半空的他，已避無可避，只能眼睜睜地看著那金光燦爛的拳氣向自己揮來。

事關存亡的危機，將符的思考速度催逼到極限，他在最後關頭急中生智，將雙手十指攤開，化作羽翼之形，然後用力一撥，竟真的改變了墜落的角度！

但，已經太遲。

拳氣已至，並即將吞沒符的整個右半身。

此時，一具龐大的黑影突然撲出，推開了符，然後被拳氣結結實實地擊中了，其下半身就此蒸發，然後轟然墜落。

這時，符才看到那團黑影身上黃黑相間的毛色。

是翊。

符望著只餘下半截身軀的翊，雖然感激，卻也不解。

「為什麼……你要救我？」符無力地問道，明明他們認識的日子還不長，感情也說不上多好，在符心中，翊這大虎莫說是同伴，甚至還不如寵物，感覺就只是純粹的坐騎。

然而，有些感情，往往在失去後，才明白有多重。

翊望著符，痛苦地悲鳴，符不再去想什麼感情輕重，而是提起腳步，走到翊的身邊，輕撫著翊那毛茸茸的臉龐，令翊那痛苦的表情漸漸緩和，雙眼亦緩緩閉起。

「翊，你知道嗎？」符把臉貼到翊的耳邊，輕聲地說：「你的名字，是來自我的三弟，他是脾性和我最相像，也是和我感情最好的兄弟。」

其實翊不必透過言語，也能明白符的感受，但聽到符親口說出，仍欣慰地吐出，最後一口呼嚕聲。

但，個人的情感，在家國的面前，就如塵埃般不值一提，大漢的亡靈並沒有因為這場離別的戲碼而停下腳步，待他從剛才那拳回過氣來後，便再發動攻擊。

大漢亡靈圈指一彈，指前的空氣如箭矢一般直飛向符。

符仍跪在翊的身邊，尚未收拾好情緒，只能眼巴巴望著氣矢射來。

哼噹一聲，氣矢卻被一把赤銅巨斧和無數的飛劍擋開。

只見華雄和徐榮各自拖著踉蹌的腳步，走到符的身前。

「無常華雄，奉大司命之令，鎮邪逐惡！」華雄震斧大喝。

「啊……我只是想打架而已。」徐榮則是有氣無力地說道，並用餘下的單臂，揮蕩著劍。

「你們……」符驚訝地道：「明明都半死不活了，還走上來幹什麼？」

華雄和徐榮回望符，笑了笑，卻全無退讓的意思。

「毒舌這回事，還是交給我吧。」禰衡也走上前線。

符無奈地笑了笑，然後甩了甩頭，便也站了起來，四個老弱殘兵並排而立。

「一個為了自以為是的職責，一個為了找架打，還有一個來湊熱鬧的……」符再次燃起鬥志：「夫復何求！」

殘陽夕照，昏黃的光線染在四人背上，並在他們身前拉出長影，直指被龍脈附身的孫堅。

告白 二十七

龍脈抬起手，準備再度進攻，但徐榮卻更早一步，煉出數百把飛劍，並一口氣擲向龍脈。

飛劍雖快，卻不夠重，亦沒有手執時精準，所以然無法對龍脈造成多少傷害。

但，近千把劍同時飛來，卻能遮蔽龍脈的視線。

符、華雄和徐榮兵分三路，混入飛劍群中向龍脈突襲。

龍脈本想凝神靜聽，以聲辨位，但飛劍在空中互撞的叮叮噹噹聲，比遮蔽視線更干擾。

於是，龍脈在幾乎被刺中一刻，才察覺到符從正面衝來，並用槍形突擊。

但龍脈仍反應過來了，用兩指夾住槍形的掌，然後提起腿，一腳將符蹬開數丈之遠。

龍脈本想追擊，但左側卻飛來一把赤銅巨斧，勢大力沉，稍稍阻延了其腳步。

他用手背掃開那巨斧，才發覺華雄雙手緊握另一把巨斧在後面，只待龍脈擋開第一把斧，便接力攻擊。

華雄儲力，然後狂吼，似要將一切的力量都融入這一擊，其聲其勢，竟引起一小波震盪，龍脈不敢怠慢，立馬轉成防禦姿態。

卻沒想到，華雄光吼不發，反倒是身後，突然刺來一把銀劍，直沒入龍脈的後腦，然後由門面穿出！

龍脈卻只是淡然地握住劍刃，銀劍就此灰飛煙滅，而他的傷口也在一陣金光閃耀之後，回復原狀。

「可惡，這樣也沒用嗎，早知就該伐頭……」從後偷襲的徐榮虛弱地說道，氣煉、馭劍、奔襲已經完全耗盡了他的靈力。

華雄同樣，光是吼出震波，已是其極限。

不過，這已經足夠。

「辛苦了。」飛劍群因靈力透支而漸漸化為飛灰，只見符卻早已在龍脈身前，彎腰聚氣，靈氣不住地往拳頭聚集，卻不像龍脈般散發奪目金光，反倒像被凝聚成球的黑夜，將周邊的光都吸了過去：「讓我也來，東施效顰！」

原來華雄和徐榮所做的一切，都是為了替符爭取時間。

夕陽尚未完全西下，四下卻昏暗如夜深，日落的餘暉，幾乎都被符吸收殆盡。

龍脈深知不妙，欲搶先在符聚氣完成前，早一步出手。

卻沒想到，他剛邁開步伐，符竟已蓄勢完畢。

「龍形。」符將拳化為爪，然後將聚成的黑球向前一推，黑球竟化成一條黑龍，張牙舞爪地向龍脈撲去，觸及之處，光芒都被盡數吞噬，其勢恍如饕餮一般，不窮盡萬物誓不休！

「以龍制龍？天真！」龍脈雙手交錯胸前，金光大盛，有如艷陽，耀眼得讓人無法睜眼。

然後，金光凝聚，化成金壁，包裹著龍脈四周，毫無縫隙。

但，縱使金光再芒，卻仍無法驅散黑暗，黑龍來勢洶洶，直搗龍脈，連金壁都無法阻擋，直穿而過。

黑龍勢凶，卻又徐徐而行，待其穿過金壁，已幾乎是一刻鐘後之事。最後，金壁因龍脈一時的靈力不繼而搖搖欲墜。

金壁消散，只見龍脈仍然毫髮未傷，卻滿面怒容。

「汝竟敢……用蜃樓耍我？」龍脈話剛説畢，本已筋疲力盡的華雄和徐榮，竟奮力地撲向他，華雄制住其上身，徐榮則牽制雙腿，二人同時運起靈力，在頭上氣煉出雙斧百劍，並任由其隨意刺落，把三人緊緊釘在了地上，卻都避過徐華二人自己的要害。

「呼……我可不像那兩個傢伙，剛才那麼大的陣仗，可真的把我搾乾搾盡了。」不知何時化成鸚鵡，並躲在符身後的禰衡説畢，就變回了人形，然後攤臥在地。

原來，所謂的龍形，吞光的夜球還有那殺氣騰騰的黑龍，都只是禰衡的蜃樓，目的只是迫使龍脈用盡一時的靈力，然後趁機制服。

「辛苦你了。」符笑道：「雖然浮誇了點，但效果也算不錯。」

禰衡連罵人的氣力都耗盡了，只能眼巴巴地望著符走向被劍斧陣鎖住的龍脈。

「怎麼了，這就認輸了嗎？」符瞪著龍脈的雙目，似是要穿透其雙瞳一般。

龍脈雖怒，卻由於附身魂魄的器量所限，所以一時耗盡靈力後，無法及時恢復，只能吼道：「汝等以為能就此困住真龍嗎？只待靈氣恢復，汝等全都永不超——」

「閉嘴！我不是和你說話！」符打斷了龍脈之言，然後一把抓住他的頭，說道：「老而不，你真的打算讓這不人不神的鬼東西霸佔你的魂魄麼？」

「我不是……」孫堅那微弱的聲音，竟從龍脈體內傳出，龍脈趕緊壓制住他：「凡胎，汝已無用，消——」

符狠狠摑了龍脈一巴，讓孫堅能再稍稍掌回身體，說完未說的話。

「我不是……說過了嗎？」孫堅用盡最後一分力，再說一次：「教我，你一次又一次突破自我的方法……」

「只要告訴你，就能反制這鬼東西嗎？」

「不知道，但我只能想到這方法了。」

「可惡！我們竟蠢到將一切都賭在你身上，以為有什麼好辦法！」

「沒試過，怎知道好不好？」孫堅的聲線開始減弱，他身上的金光又再開始閃爍。

符一怔，然後才徐徐說道：「這句話，你在死前也說過吧？」

「你怎麼知道……啊，是君理跟你說的？」

「對，他喝醉後，總會埋怨自己，說如果當時肯死命阻止你，讓你別去奇襲黃祖的話，你就不會死。」

「那傢伙怎麼自大到把我的死當他的責任了？」孫堅笑了笑：「那，難道你要彌補他這無聊的遺憾嗎？」

「不，我會和當時的他一樣，送你去死。」符也笑了：「畢竟我完全不在乎你的死活。」

這兩父子，已不知有多久，沒這樣相視而笑。

笑畢，符深吸一口氣，然後說道：「突破自我的方法，說起來很簡單，卻不知道你能否做得到。」

孫堅不語，只堅定地點了點頭。

「只要你能直接面對自己內心那最忌諱被他人知道，最難以說出口，甚至要不惜欺騙自己以讓自己忘記的感情，就行了。」

孫堅呆了呆，然後開始細想，卻想不透，於是再問道：「那你的那份感情是什麼？」

「才、才不告訴你！」

「不，我只是想知道大概是怎樣的感情……」孫堅聲線越來越微弱，似乎很快就會再被奪去魂魄：「因為細想之下，總覺得有很多事都很難說出口……」

符真的很不想說，但眼見時間無多，急得亂搔頭髮，連臉頰也紅了起來，無可奈何，只能坦白道：「我……我曾經不惜欺騙自己，說服自己對你恨之入骨，但其實……那只是我不敢面對，自己竟然和你一樣，強搶民女當妻子，還沾沾自喜……」

「這……你還真有老子風範啊……」孫堅欣慰地說道。

「我本來……只是看上她的美貌，卻沒想到，娶了她後，朝夕相處下……」符越說越細聲，幾乎快要聽不到了。

「朝夕相處，加上強娶的內疚，讓你在刻意保持距離之際，卻越來越喜歡，甚至是完全沉溺到她之中了？」孫堅滿臉懷念地說道。

「你、你怎麼知道的？」

「我倆真的相像到有點噁心了，我和小……不，我和你娘親，當年就是這樣。」

符突然想到，如果他娶大喬時，孫堅仍然在生的話，是否就能更早地聽到這番話？然後，他和大喬，是否就能相處得融洽一點？

「只可惜，我死得太早了……」符空虛地說道：「沒法像你和娘那般，讓她慢慢對我生出感情……」

符嘆了口氣，然後笑道：「就是這份，我一直藏著，而且死後更是無法宣洩的感情。」

「簡單來說，就是對妻子的愛吧？」

符臉更紅了，他不想說話，只點了點頭。

「她……我的兒媳，叫什麼名字？」

符雖然仍紅著臉，卻同時露出自豪的表情，答道：「大喬。」

這時，誰都沒察覺，上空有一隻黑色的鴿子盤旋觀察，牠是靈巫的信鳥，能將牠所見所聞，都報告予主人。

孫堅 二十八

孫堅陷入沉思，而他身上的金光已開始不受控制，壓制住孫堅身體的徐榮和華雄也早就失去了意識，禰衡亦已透支，所以，只要龍脈重掌孫堅的身體的話，符只能孤軍作戰。

然而，這也是符的策略的其中一步，畢竟他浸泡龍脈時拓展了呼吸，消耗再多的靈力，也能很快回復，所以他早已恢復狀態，但面對龍脈那些超乎想像的攻擊，仍是沒有頭緒，只能拼死一搏。

就在符打定最壞打算之際，孫堅終於回神，卻仍是一臉迷惑。

「還是想不到嗎？」

「我以為自己和你一樣，對妻子有份愧疚……」

「你倆相處雖短，卻不是過得很幸福嗎？」符嘲諷地道：「每次娘喝醉後，都會隨意抓住我們兄弟其中一人，然後滔滔不絕地說你們當年的事呢。」

「她還沒學會控制一下喝酒嗎？」

「你能想像她滴酒不沾的樣子嗎？」符笑道。

孫堅也笑了。

「如果不是娘的話，那會是你兄弟手足的事嗎？」

「我自問從沒做過對不起手足的事。」孫堅堅定地說。

「那些死在你刀下的人呢？」符再問：「華雄、張咨、王叡那些。」

「華雄和我同為無常後，已化解恩仇，張咨王叡之流都是些死不足惜的傢伙，雖然當年宰他們也有鞏權立威之意，但絕無悔意。」

「那……『交情深淺哪在時日？一見如故便是知己。』的那人？」符想起那個親切的傻大哥。

「……區星嗎？」孫堅亦露出一臉懷念的神情：「你遇到過他嗎？」

「對，就是他和我一同在長沙對抗張咨和王叡的，還遇上貂蟬和變成了兔子的呂布。」

「呂布變成兔子了!?我想看看啊！」孫堅忍不住大笑了起來，笑完才續道：「不過，既然你和區星一同作戰過，應該學到不少吧?說不定比我教的還多。」

「沒錯，我還是第一次遇見他那種人，明明只是個凡人，卻有著英雄般的意志。」

「如果那些狗屎諸侯有他一半的氣概，漢朝或許還有得救……」孫堅說：「不過，雖然是我殺他，但我卻沒有辜負他，長沙在我治下煥然一新。」

「連區星也不是，那真令人頭痛啊……」
「説起來，你怎會遇到那麼多和我有關的人？」
「我認為是有人特意安排的，你看，我不是連你本人都遇上了嗎？」符説：「感覺就像是要我經歷一次你的人生一般。」
孫堅皺了皺眉，似乎想到了什麼，卻馬上甩了甩頭，否認自己的想法。
不知為何，符因而想起了一件微不足道的事。
「對了，你不是討伐水賊起家的嗎？」
孫堅面色一沉。
「我第一個收拾的亡魂，就是個盤踞在錢塘三十多年的水賊。」符瞪著孫堅的雙眼，似乎是要看透他一般。
孫堅受不了符的眼神，閉起了雙目。
符卻不打算放過他，續道：「不知為何，他一看到當時面容仍停在十六、七歲的我，就勃然大怒，還説我是叛徒，不知道一而再的對他幹了什麼……」
孫堅雙唇發抖，然後，終於禁不住情緒，大吼了出來。
「三十多年了！」孫堅的眼眶竟然閃出淚光，嚇了符一跳：「胡玉大哥的亡魂竟然徘徊了三十多年！」
那是距今三十餘年前的事，那時，孫堅還只是個十四歲的少年，卻已經和水賊頭子胡玉扯上關係。

雖然孫堅總聽父親說，他們是兵聖孫武的後人，但望著家裡那片碩大的瓜田，絲毫找不到半點孫子兵法的影子。

雖說家裡種瓜，卻也甚具規模，販賣的對象也不是一般老百姓，而是地方的達官貴人，有時適逢大豐收，長出幾個非凡大瓜，還有機會進貢天子，所以，與其說孫家是瓜農，其實更像是瓜商。

由於家裡有田有地，所以孫堅自幼生活無憂，但他卻不甘於此。

縱使再富裕，卻不論是農是商，對比起士，始終低人一等，何況以孫家家境，平日往來的，都是地方士族和官員，所以他們只能卑躬屈膝，偶爾面對家奴下人和平民，才能擺擺架子出口悶氣。

可是孫堅卻看不慣家人拿平民家奴洩忿，所以他自幼就與下人走得很近，卻亦因此誤入歧途，孫堅為了替為一個爛賭的下人出頭而結識了水賊胡玉，並因互相佩服對方的氣魄，而結拜成兄弟。

只要胡玉一夥船經吳地，孫堅就會整天待在他們的船隊之中。

「胡玉大哥，你明明身手不錯，為何甘於在這種地方當水賊？」孫堅坐在船頭，望著眼前滾滾的長江。

「笨蛋，我只是為了夢想積存力量而已。」胡玉躺在甲板上，他戴著頭巾，穿著短褲，袖口和褲腳都用布條緊緊紮住，腰間掛著一把環首長刀，在此時，這仍是他獨有的裝扮，卻隨著胡玉日後聲名大噪，而成為了水賊的典型裝束。

「夢想？」孫堅笑道：「水賊也有夢想的麼？」

「當然，我才不想一輩子都在小川細流中穿梭，總有一天，我要在馳騁在最廣闊的水面之上！」胡玉舉拳說道。

「那是指成為江賊嗎？」

「長江相比河川來說雖然是闊，卻也不過是用肉眼就能看到對岸的等級。」

胡玉站了起來，面向東方說道：「無窮無盡的大海，才是我的夢想！」

「大海？」孫堅更加困惑：「大海除了海水、魚和風暴之外，不就什麼都沒有了嗎？」

「你真的是笨蛋啊？」胡玉亂揉孫堅的頭髮，笑道：「大海可是千百倍於大地，在海的對面，盡是未知的東西，蓬萊、倭國、如山般大的鯨魚、長滿美味野果的寶島、盡是冰雪的凍土、獅子掌管之境，還有滿是麒麟的草原！」

「和那多采多姿的世界相比，中原不過是片陳腐的農地牧場，不是嗎？」胡玉雙眼閃爍著奪目的光芒：「而且，在那無垠海上，再沒有階級之分，也沒有靠父蔭的世族土豪礙事，那是只講實力的世界，真真正正的自由之境！」

孫堅聽著聽著，雙眼亦閃出仰慕的光芒，但對他來說，比起意義不明的自由，沒有階級之分這點，更令他嚮往。

後來，胡玉從海商手上搶到一艘海船，實現了出海的夢想，成為了海賊。而孫堅也在年紀稍長後，正式加入，跟隨胡玉一同出海馳騁，並在搶掠殺戮中，練成超凡身手，年僅十六，已經在吳和錢塘一帶所向披靡，連胡玉也再跟不上他的腳步。

孫堅慢慢感覺到胡玉的界限。雖然剛認識胡玉時，他的確有著宏大夢想，志存高遠，但隨著這夢想成真之後，就只感覺到他原地踏步，不再前進，曾經一直掛在嘴邊的蓬萊、夷州、倭國，都漸漸拋到一邊，只滿足於搶掠沿岸的商船。

雖然這亦礙於胡玉所搶到的船只是近海船，而且船員都是江川出身，不諳海性，亦沒有足夠的見識經驗，去面對滄海的無常。

但正正因為有了這些無懈可擊的理由，讓胡玉堂堂正正地停滯下來。

不過，雖然孫堅開始不滿現狀，卻沒想過要去改變，只是不安，只是焦躁。

直至那天，胡玉一夥如常地搶掠海商，卻沒想到那艘船上，有著一個和孫堅同歲的少年，他身穿直裾，神情冷峻，即使面對凶神惡煞的海盜，仍然臨危不亂。

「你不怕嗎？」孫堅把環首長刀架在那少年項上。

「怕啊，但難道我擺出個害怕的樣子，你們就會放過我了嗎？」少年冷道。

孫堅笑了，然後收起了刀，說：「報上名來。」

「張紘，尚未起字。」

「你為什麼會跑到商船來？看你的衣著也不像是船員。」

「這是我親戚的船，我想在出仕前看看海，就跟來了。」

「出仕？世家子弟嗎？」孫堅不屑地道。

「看你的臉色和身上配飾，家境應該不錯，卻出海為盜，又仇恨士族，是商賈之子嗎？」

孫堅笑了，然後突發其想地問：「你想當海賊嗎？」

張紘感到莫名其妙，心想這少年是不是有毛病，但更莫名其妙的是，他答應了。

張紘加入後，展現出過人的才華，把船隊管理得井然有序，胡玉一夥迅速壯大，成為錢塘一帶最惡名昭彰的海賊。

這，亦是胡玉一夥覆滅的開始。

胡玉一夥的壯大，是因為兩個天賦異稟的少年，而他們的覆滅，亦是因為這兩個少年。

孫堅和張紘不單才能，甚至眼光、視野和思維，都更勝胡玉，隨著年齡增長，見聞日多，越來越不滿，亦越來越不滿足。

海賊船太狹窄，無法乘載他們的抱負，而大海的彼岸又太遙遠，無法作為明確的目標。

於是，他們將眼光放回中原大陸。

但要在這陳腐的農地牧場一展抱負，他們需要建功立業，經營個人的名氣，這是孫堅曾經最討厭的東西，但為了實現他和張紘的夢想，他選擇先妥協，待他朝再一腳踢爛這些狗屎般的制度和不公。

然而，憑兩個十七歲的少年，要立下入仕之功，並非易事，但他們都不約而同地想到同一個方法——背叛。

父親 二十九

「所以，你就殺了胡玉，並把剿滅胡玉一夥，當成自己的功績，還因而當上縣吏，開展了自己的仕途，對嗎？」符平淡地說。

「沒錯，除了我和子綱，團裡還有幾人都因為看不慣胡玉大哥耽於逸樂，所以結成一伙，並設計讓胡玉大哥久違地回到內陸，騙他說錢塘一帶有運金船，然後待其現身。準備劫船時，以回鄉探親為名而暫離船隊的我，就帶著老而不和一些有身分的人當見證，然後我裝成剛好路過，單槍匹馬殺入他們陣中，因為胡玉大哥和其他兄弟都認得我，所以就沒作防備，只當是剛巧路過來幫忙的，於是，就被我乘虛而入，在他背後，狠狠地刺了一刀，直沒心臟……」孫堅越說越無力。

「難怪他那時見到我，會像發了狂一般，原來是被最信賴的小弟背刺了。」

孫堅無話可說。

「那麼，說出來後，有解脫的感覺嗎？」

「……就這樣？」孫堅訝異：「你不會因為我是卑鄙的叛徒，而看不起我嗎？」

「當然會，但當下最重要的問題是讓你放下執著，然後好獲得控制龍脈的力量吧？」

解脫？孫堅只感到無盡的空虛。

「難道你是想我說些什麼『若是我也會像你一樣』之類的狗屁說話來安撫你嗎？」符冷笑道：「還是想讓我罵你，說看不起你，好讓你心裡有點贖罪的感覺？」

孫堅一怔。

「無論你說再多，都改變不了你背叛的事實，而且任你日後獲得再大的功績地位，亦無法彌補。」

「那……」孫堅垂首，語氣無力得似乎要放棄一切：「那……還能怎麼辦？」

「就只能接受，承認，並背負這份罪孽。」符溫柔地說道：「這就是我所說的，直接面對自己的方法。」

孫堅一臉恍然大悟的表情。

但似乎已經太遲了，幾乎在他醒悟的同一時間，金光大盛，瞬間籠罩住孫堅，而戰甲上的金紋亦攀到孫堅的臉容之上。

「看來，還是要我出馬呢。」突然，一把熟悉的聲線從上空傳來。

符抬頭望去，只見一人浮在半空，並逗弄著那隻盤旋了好一陣子的黑鴿。

「好了，回去向你的主人報告吧。」那人說道：「畢竟接下來的場面可不適宜婦孺觀看。」

符終於認出那人：「項……司命大人!?」

「我這種從天而降的救場方式，在遙遠西方的大秦國前朝的戲劇中，似乎是常見的戲碼。」項羽徐徐降落地上，卻在即將著陸之際懸浮半空。

「你……為何要來幫我們？」符警戒地道。

「才不是幫你們。」項羽說：「流氓家的龍脈失控，本來就不是你們無常所能處理的事，只不過見你們應對得頭頭是道，就不禁想看到最後而已。」

「這麼說來，反倒是我們多管閒事了？」

「沒錯，但我最欣賞明知不可為而為之之徒。」

符鬆了口氣，全身也攤軟了下來。

「好，該幹活了。」項羽轉過身來，面對金光四射的龍脈，只見他輕輕一揮手，金光就被壓制著，然後收攏回孫堅的體內。

項羽再將手放在孫堅的頭上，準備一口氣拔除龍脈，卻露出微微驚訝的表情，然後，便大笑了起來，並道：「原來多管閒事的是我。」

只見孫堅身上滲出暗綠色的條紋，反過來吞噬龍脈的金紋，不消一會，金紋就被完全反噬，然後，綠紋也滲回孫堅的體內。

孫堅終於重奪身體，他徐徐張眼，卻發現項羽就在他身前，嚇得跌坐地上：「司、司命大人，為何在此!?」

「如果你早些開始反噬龍脈，我就不必現身了。」項羽環視眾人，虛脫的符，仍未回氣的禰衡，失去意識的徐榮和華雄，還有只餘下半截身軀的翊，然後嘆道：「不過真沒想到，就憑這些人馬，竟真能壓制住龍脈。」

「反正都現身了，就賜你們一些獎勵吧。」項羽響了響指，只見徐榮的斷臂就此長了回來，還有兩團虹色的光走進禰衡和華雄的體內，但最讓符驚訝且感慨的，是翊。

只見翊的軀體慢慢縮小，並同時長回下半身，待其完全長出後，已變成了如家貓一般的大小，符見其腹腔又再有呼吸的起伏，不禁眼眶一潤。

「然後就是你。」項羽望向符，然後用手指在半空畫了個圈，畫出了一條散發著虹光的鎖匙，再彈入符的體內：「我把鎖著怨靈的門匙送給你，以後就可以隨時解開其封印，取回自己的所有力量，不過有時限的。」

符卻不太在乎，他用盡尚餘的力氣爬到翊的身邊，然後抱起了牠，才向項羽說道：「……感謝。」

項羽笑了笑，卻立馬用冷得能招來暴雪的語氣，對著孫堅說道：「該賞的賞了，然後就是問罪了。」

只見孫堅默默地盤膝而坐，並說道：「我無罪，只不過是失敗了，僅此而已。」

「有罪與否，不是由你定奪，盜竊龍脈就是罪，這是天條。」

「天條又是誰定的？」

「自然是天定的。」

「是蒼天？還是黃天？」

「哼，是從黃賊那邊聽來的嗎？」項羽冷笑道：「只可惜，我哪邊都不是，既不歸昊天管，更不是軒轅那種過時之人所能干涉。」

「那是不是代表，除了昊天和黃帝外，還有其他派系的神？」抱著小翊的符，突然插嘴道：「例如……東皇太一？」

「要區分的話，我們大概算是楚神。」項羽笑問：「倒是你，從何得知東皇的名諱？」

「我畢竟也是個江東人，而且好歹是官家子弟，自幼就被迫學楚辭，其中的九歌，說的不就是楚地神話？」符答：「東皇太一、雲中君、湘君、湘夫人、大司命、東君、河伯、山鬼……還有一篇是什麼？呃……對了，國殤，就是這九篇吧？因為當中就有大司命，所以我想大司命的頂頭大哥，應該就是九歌開篇的東皇太一。」

「呵，楚國都亡了數百年，沒想到楚辭竟然還能留傳下來。」項羽感慨地道，然後才正色道：「不過，九歌可是有十一篇，不是九篇啊，你還漏了少司命和禮魂。」

符尷尬地笑了笑，然後再問：「那，蒼天和黃天之爭，你們楚神站哪一邊？」

「我剛才不是說了嗎？兩邊都別想管我們。」

「不是還有第三個選擇嗎？」

「那是屬於我們的故事了，你這小毛頭就別多管閒事。」項羽無奈笑道：「正因為上界總是如此紛亂，我亦無暇再多費心神來管理下界的魂魄輪迴之事，才找你們這幫無常，還有靈巫啊半仙啊那些有的沒的來幫忙。」

「我才不想管，只是怕你們這些神明的鬥爭會干擾到我而已。」符說。

「你不想介入這場戰爭，撈些好處和功德，好讓自己早日受封成神嗎？」

「我對當神沒興趣。」符笑答：「這凡塵的風光我都還沒看夠，仍想再多待一會。」

「真是怪人。」項羽也笑了，然後再回頭向孫堅，厲色地問道：「怎樣，也算是回答了你吧？反正，天條就是一些對你來說遙不可及的神明所定的。」

孫堅沉默不語。

「那麼，你要如何處罰這老而不？把他也變成禽畜嗎？」

「不，他可是孫鍾向我承諾過要獻上的三娃之一，我還有很多用得上他的地方。」項羽再用手指繞了一圈，變出了一把枷鎖，然後套到孫堅身上，扣住他的頸項和雙腕，然後對著他說：「本想讓你多歷練幾年才回收你的魂魄，但你現在就夠膽沾染龍脈，再過些時日真不知道你還會幹出些什麼來。」

「這……即是要我成為你的下屬之類嗎？」孫堅訝異地問道。

「下屬？不，是你的魂魄歸我了，就像這項籍的魂魄一般，以後我再現身在他人前，就可以用你的姿態。」司命說道：「對啊，項籍也是如孫鍾一般，與我做過交易，所以他的魂魄才歸我的。」

「那……我的意識……我的記憶……還有我的存在……？」孫堅感覺心深處突然像被冰封了一般。

「自然也是成為我的一部分。」司命平淡地道：「世上將不再有孫堅這個存在。」

司命用手按住孫堅的頭，然後說道：「好了，說吧，你作為孫堅的遺言。」

孫堅先是一怔，須臾才回過神來，然後用懇切的眼神凝視著孫策，說道：「……拜託你了，策兒。」

雖然孫堅的話沒頭沒尾，但孫策卻馬上明白了父親的意思，眼眶不禁一紅，為了不讓司命察覺孫堅所付託的是什麼，孫策只是穩穩地點了點頭，然後答道：「交給我吧，爹……」

孫堅對孫策露出從未在子女前展示過的真摯笑容。

然後，一道虹光自司命的手掌滲出，並籠罩著孫堅，他的笑容漸漸消失，連神情也變得呆滯，成為了一具空殼。

孫堅雙目一閉，臉上已不見他本來的神態，明明是同一副五官，卻像是完全不同的人。

符望著這副既熟悉又陌生的臉龐，百感交集，蓄在眼眸的水珠失控地墮下，點點滴滴，全都敲在黃土之上，散成淚花。

須臾，孫堅再度睜開眼，但那已經不再是孫堅，而是司命的眼神。

「雖然修為尚有不足。」司命孫堅鬆了鬆手腳，司命項羽接著說道：「但畢竟年輕，比項籍那陳舊的魂魄輕鬆多了。」

望著眼前並排已立的兩個司命，符感覺有點混亂。

「怎麼，以為我們會合而為一嗎？」司命項羽道，然後司命孫堅接話說下去：「一個魂魄豈能裝得下神明的完整意識，所以才要多幾具靈力充沛的魂魄，用作我們下凡時的替身，不然，我何必要與孫鍾交易呢？」

「那即是說，待我修煉完畢，也會是這樣的下場？」不知為何，符因而鬆了口氣，或許是因為得知了自己的結局。

「沒錯，但還遠著呢，就算是項籍也費了百多年才有足夠的修為，孫堅這只是特例而已。」司命項羽答道。

「對了，我收下孫堅的魂魄後，也得到了他的記憶，所以知道他剛才交託了什麼給你。」司命孫堅冷冷地警告道：「你要怎麼去履行是你的事，但好自為之，別像你父親一樣，闖出這樣的大禍，人間的皇帝天子，可是上天欽點的傀儡，所以亂搞龍脈皇氣之事，都是重罪。」

「那……你為何能和孫鍾的交易？」

司命孫堅邪魅地笑了笑，然後司命項羽接著以指間唇，示意符別再深究。

「好了，該做的事都做完，是時候回去了。」司命項羽騰空上升：「希望下次再見時，不是來收拾你搞的爛攤子。」

不消一回，司命項羽已飛升九天，不見蹤影。

然後，司命孫堅亦準備離開，卻在身體方浮空之際，頓了一頓。

「為免你不聽我勸，堅持為了保護你的兄弟們，而學孫堅般觸犯天條，我還是先跟你說個真相好了。」司命孫堅說道——

「派刺客暗殺你的，正是你的兄弟。」

符整個人都僵住了，連腦袋也像被冰封了似的，他只感覺到內心的其中一根支柱，裂出一道不可修補的巨大裂痕——

成禮兮會鼓，
傳芭兮代舞，
姱女倡兮容與。
春蘭兮秋菊，
長無絕兮終古。
——《九歌．禮魂》

《三國無常》
第一部．孫堅篇
—完—

大喬 後話一

雪花淡淡地落在孫家大宅的青瓦上，午宴的炊煙緩緩升起。

書著「孫」字的大旗在風中輕揚。這是一面更換了主人的旗幟。旗幟之下，還有一群來向新君主賀冬的臣民，比之大半年前，卻稀疏了不少。

時值冬至，是一年之中白晝最短的一天，也是人間的一大佳節。在北方，有某個將來被譽為才高八斗，但現在尚是黃毛的小子，在日後寫下的一篇頌表中，如此記曰：「千載昌期，一陽嘉節，四方交泰，萬物昭甦。」

「哈——嚏！」大喬和來賓打完招呼後，便以身體抱恙為由，先行離席，卻沒想到真在回房間的路上著了涼。

大喬左顧右盼，發現長廊上四下無人，所以不會有下人來責難自己失儀，不禁鬆了口氣，連腳步也輕盈了許多。

她回到房間，卻沒有第一時間躲入暖烘烘的被窩裡，而是走到窗邊，望向天空，但只有徐徐而下的白雪，不見那久候的身影。

「小黑鴿這趟去得有點久啊……」大喬嘆道。

百無聊賴，卻又不想午睡，在冬至這天，總感覺日光比往時更為珍貴，於是大喬開始漫無目的地，繞著房間踱步，看到什麼不順眼的地方，就去擺弄一下。而走過放零嘴的小木櫃時，還順手取了兩顆蜜梅。

然而，房子不大，所以不消一會，就已繞完一圈，不順眼的地方，也都整理好，連蜜梅，也都吃掉了。

大喬拍了拍沾了糖汁的手，然後坐到臥榻上，無聊地擺踢雙腿，想將鞋子抖掉。

「就沒有什麼事可做了嗎？」

大喬再掃視了房間一圈，眼光停留在那件，掛在衣架上已有大半年的殷紅色長袍，不知不覺間便出了神。

待她再醒來時，已是半夜，然而身上卻好好地蓋著被子，几上還多了好幾顆蜜梅的籽和小半杯早已涼透的蜜水，似乎小喬來過，呆了會，然後又回去了。

「唉，怎麼不叫醒我呢？」大喬把臉埋在被窩中：「好想……和人說說話啊。」

驀然，窗外傳來拍翼聲，大喬便馬上掙脫被窩的溫暖，跑去打開窗戶，只見小黑鴿隨著冬風飛入房間。

「終於回來了啊！」大喬雙頰被寒風吹得紅通通的，但她卻毫不在意，連窗都忘了關，就興奮地逗著小黑鴿。

「可是……這趟是去偵察是否有妖再臨人間，應該等小喬來再一同讀比較好吧？」

大喬雖然如此說道，但雙手卻蠢蠢欲動，即使只是透過小黑鴿的雙眼也好，她只想快一點，感受一下這房子和大宅以外的世界。

是從何時開始，有了這樣的想法？大喬本是個內向的人，比起外出，更喜歡窩在家中，但這陣子，她卻似乎厭倦了困在這大屋裡。

「是因為那新丁……」大喬笑著自言自語：「總在和我說外面世界的事吧。」

這讓大喬在不知不覺間，感到這世界很廣闊，而這房間很狹窄。

「算了，還是讓我先看看吧。」大喬輕易地說服了自己：「若真的有妖怪，就馬上通知小喬，這比乾等她要好得多呢！」

於是，大喬便伸手向小黑鴿，指尖才剛碰到羽毛，黑鴿已碎散為無數光點，回歸到大喬身上——

「就是這份，我一直藏著，而且死後更是無法宣洩的感情。」

「簡單來說，就是對妻子的愛吧？」一個看上去和自己丈夫非常相像，卻更成熟的人斬釘截鐵地道。

而那個和自己丈夫幾乎一模一樣，卻更年輕，而且還和新丁無常有著同樣氣息的青年，則紅著臉，不說話，只點了點頭。

「她……我的兒媳，叫什麼名字？」更年長的那人問。

另一人雖然仍紅著臉，卻同時露出自豪的表情，答道：「大喬。」

——其實後面還發生了很多很多不得了的事，但大喬已混亂到看不下去，光點從她身上飄出，重新聚成了一隻小小黑鴿。

原來，新丁無常就是伯符。

明明二人還是夫妻時，連話都不多半句，卻在陰陽相隔後，互相不知道對方身分下，成為了朋友。

又原來，伯符如此呵護自己。

但自己卻什麼都沒察覺，還把一切都看成是理所當然。

又又原來，伯符總對自己保持距離，是因為愧疚。

還有更多更多的原來。

但都比不上——原來，他愛她。

大喬只感覺到內心在翻江倒海，更甚於夏日的狂風。

她不自覺地走到那件殷紅色長袍前，然後緊緊地抱著，卻只感到輕飄飄，冷冰冰，他的味道早已消散，彷彿這已不再是記憶中，伯符常在她睡著時所加的衣，而只是一件陌生又普通，還被淚水沾濕的長袍。

但，這已是整個房間，整個大宅，整個江東，甚至整個世界裡，除了紹兒以外，伯符唯一留下的東西。

終於，在這夜，大喬明白了何為情。

陸議 後話二

天越來越冷，雪越來越厚，吳郡的人，不是在準備過冬，就是已經在過冬。

陸家少年為了替小桔子張羅些小桔子，只好把自己包得像糉子一般才敢踏出陸家大門。街上人馬冷清，少年繞了好幾個市集，都覓不到小桔子的蹤跡。無奈之下，唯有放棄，踏上歸家之路。

卻沒想到，這白走一趟的跑腿，竟成為了他人生的轉捩點。

他拐了個彎，來到陸家正門前的大道，卻發現家門似乎不太平靜。只見一個和自己差不多大的少年，被陸家的下人一腳踢倒在街上。

那少年默默地站了起身，拍了拍身上的雪，再默默地看著陸家下人粗暴地嘲笑自己，然後用力地關上了陸家的大門。

陸家少年尷尬地走到那少年的身邊，抱歉地說道：「真是粗魯的傢伙。」

少年卻平靜地答道：「是我不好，突然就來打擾別人。」

陸家少年感到好奇，於是便問：「你找來陸家幹什麼？」

少年用稍稍奇怪卻不失禮貌的眼神望向陸家少年。

陸家少年尷尬地指著自己的嘴巴解釋道：「抱歉，我的舌頭有點問題……」

少年只是淡淡地點了點頭，然後答：「我是來求見懷桔遺親的陸績，也就是陸氏當家。」

「你也是來求卜問占的嗎？」陸家少年有點失望。不知為何，吳中突然開始流傳，陸績能預知未來之事，於是便常有閒人跑來白撞。陸家少年以為這淡然的少年也是其中之一。

然而，他卻猜錯了。

「不，我只是想看看在江東鼎鼎大名的陸家，其主人會是怎樣的人。」少年徐徐說道。

陸家少年一怔，然後才笑說：「什麼鼎鼎大名，不過是個落沒的世家。」

少年卻落寞地道：「不知他們是否仍然怨恨著孫家。」

陸家少年幾乎想也不想就答道：「當然。」

少年訝異地望著陸家少年，卻在此時，一陣寒風吹過，拂開了少年所戴的兜帽，露出了他紫色的頭髮。

然後就換陸家少年訝異地望著紫髮少年，他突然想起，在早前，孫家曾發帖邀請陸家赴冬至宴，但陸家卻沒有理會。

「果然，幾近滅族的家仇，不是這麼簡單能化解。」紫髮少年無奈地道。

「反正孫家也不會把這種敗衰的世族放在眼內吧？」陸家少年反問。

紫髮少年只是淡淡地笑道，然後便轉身離開，卻在走了幾步後，就回頭問道：「對了，未知高姓大名？」

「陸議，字伯言。」伯言答道。

「在下仲謀。」仲謀說：「姓氏就不說了。」

「我也不想惹麻煩。」伯言冷笑道。

兩人對視，眼神都異常複雜，家仇、族恨、好奇、惺惺相惜，各種各樣的情緒夾雜在一起。

然後，一股莫名的悲憤從伯言胸腔裡噴湧而出，他幾乎是吼著問道：「殺害了陸家一半男丁還不夠，還要拿這垂死家族的名號來當工具，這就是屠夫一族的做法麼？」

仲謀瞪大了眼，雖然他感覺和伯言頗為投契，卻沒想到，他還能看穿自己的計劃。

陸家的經歷和背景，雖然最適合用作推動四大家族計劃，但又只不過是其中一枚棋子，並非非陸家不可，而這次微服試探，也算是為了給自己一個放棄陸家的理由，但仲謀萬萬沒想到，竟然會遇上眼前的這個少年。

仲謀笑了，這麼多年來，他從沒有過如此強烈的欲望。他要這傢伙當他的左右手，就像他的大哥身邊有個周公瑾，他的身邊，也要有個陸伯言。

「不過是區區家仇，我會想方法將之化解。」仲謀露出猶如伯符再世一樣的堅定笑容，說道：「然後，就讓我們來一同壯大江東。」

「不是天下？」伯言衝口而出。

「我還以為同住江東的你會明白。」仲謀說：「我們身前是個無垠的大海，大海彼端有著未知的國度和天地，為何還要拘泥於背後的內陸？」

一直因陸家而劃地自限的伯言，感覺世界突然變得開闊，以往的他，頂多只會想想天下，卻從沒想過天下之外。

諸葛

後話三

南陽郊野，一個不起眼的農村。

是日風和日麗，正是個工作的好日子，村民們沒有放過這難得的好天氣，都勤懇地投入農活之中。但在村子的邊陲，卻有間茅廬在隱約地散發慵懶的氣息。

茅廬裡有個身穿布衣的弱冠男子，正閉目入神，直至遠方傳來一陣徐疾有致的腳步聲，他才徐徐張眼，並執起身邊的蒲扇，緩緩搧撥，靜候來人。

廬屋的門被緩緩推開，只見一個高挑男人飄然入內，其面容和屋中男子有幾分相似，只是臉龐更長一些，儀態卻更溫文、更雍容，讓人感覺，方才男子故弄玄虛時的姿態，都是在模仿他。

「什麼啊，原來是大哥你啊？浪費我精神！」男子說畢，便將蒲扇隨手一拋，再向後一攤，大字型地躺臥。

「大白天就躺著，成何體統。」男子的大哥撿起地上的蒲扇，並道。

「先別管這些雞毛蒜皮的事了。」男子翻過身來，用雙手稍稍撐起上半身，問道：「你此行有些什麼新消息？」

「我才剛回來，也不讓我歇歇嗎？」

「那邊有壺井水。」

「不說蜜水柘漿了，連泉水都沒有嗎？」男子笑著抱怨，同時斟起了水：「對了，你之前不是採過些草葉來烹的，是叫荼還是茶？那個喝著挺有意思。」

「又要採摘又要燒水，多麻煩啊。」

「我想喝。」

「不要。」

「你不烹，我不說。」

「可惡！」男子彈了起來，氣沖沖地跑去燒水。

「讓我想想啊……」大哥正坐榻上，搖曳著蒲扇說道：「最哄動的還是袁紹敗給曹操了吧？」

「這早就知道了。」

水開始沸騰。

「對了，鄰村那個姓甘的小子，好像被黃祖招攬了。」

「嘿嘿，都是多得我的意見呢！」

男子灑了些草葉入沸水中，須臾，一陣香氣瀰漫屋內。

「還有……啊，劉備投靠劉表了。」
「啊啊，總算有個有意思的新消息呢！」男子將烹好的茶分別倒入兩個杯中，然後提到榻上，和大哥一同喝了起來：「災星南來，將有大亂。還有其他嗎？」
「還有最後一道，江東孫家新少主請到一位得力助手。」
「陸家出山了嗎？」男子屈指一算：「等等，時間不對啊，應該還沒到時候吧？」
「什麼陸家？我說的是你大哥——諸葛子瑜我啊。」諸葛瑾笑道。
「什麼！你要去江東了？」男子幾乎把口中的茶噴了出來。
「不捨得嗎？」
「才不會呢，不過你會寄俸祿回來吧？沒有大哥你，家裡不就沒收入了？難道要靠小均嗎？」
「混帳，不是還有你嗎？明明都二十了，還窩在家中。」
「可是我在家中已能知天下事啊？」
「唉，亮啊，你那收小弟遊戲也該結束了吧？」
「什麼收小弟遊戲？是買賣，我為他們指點明路，他們再把各地情報當代價。」
「但就算你知盡天下事又能如何？還不是閒在家？」
「哎，我不是跟你說過了？我的命是閒活多久，就忙沒何時。所以不能太早忙，因為一忙起來就要人命。」亮手舞足蹈地說道：「你想想，我才閒了二十年，這麼快就去忙，豈不四十就要掛了？不行不行，讓我再多閒幾年。」
「那你還想閒多久，五年？十年？」

「我想有八十高壽。」

「臭小子！」諸葛瑾終是忍無可忍，一掌巴向其弟諸葛亮的後腦。

一陣打鬧後，亮突然一臉凝重地說：「大哥，你到了江東後，可要萬事小心，尤其是孫家那幾兄弟。」

「又是哪個小弟給你捎來的情報嗎？」

「不，不是小弟，是……呃，該如何說起？」亮撫著光禿禿的下巴細想，然後說道：「你就當是青雁帶來的風聲吧。」

—完—

後記

事隔四年，再次有機會出版小說，但心情卻已不如當初興奮，因為世界有太多太多事，讓人感到無力，讓人感到氣餒。

這兩年，讓人明白到，天翻地覆，原來只是一瞬間的事。二零二一年的現在，有許多許多人和事，都已無法回頭，但時間仍在流轉，生者能做的，只有繼續走下去。

而《三國無常》這個故事寫的，卻是關於亡者的故事。因為在現實裡，我們這些存者，無法得知亡者的世界，甚至無法確認是否真有亡者的世界；而真有亡者世界的話，那會是解脫嗎？還是另一段營役的開始？我不知道，但我卻想描繪這樣的一個世界。

本作與我的上一部作品《知節》一樣，都是以歷史為背景。同樣地，都在主角的名字上玩花招；同樣地，男女主角都處於一種既近又遠的距離。但不同的是，本作瘋狂添加了我很沉迷的奇幻和漫畫元素，不單是講述亡魂的故事，還有一個類似少年漫畫的力量系統，甚至連妖、神都搬了出來，因為現實真的太沉重，唯有在鍵盤上，我才能稍稍馳騁。同樣，也希望這部作品，能讓各位讀者暫時揮別現實，在三國時代飆上一回。

說到三國，其實一直是我很想寫，卻又不敢寫的題材，因為喜愛這題材的人太多，熟悉這時代的人亦太多，而且亦早已被中、日改編出各種千奇百怪的作品，甚至連英國遊戲公司，都製作了一款三國題材的遊戲，再加上香港早有《火鳳燎原》這部令我極之著迷的高牆佇立在前，那我還能寫什麼呢？

何必想那麼多？就寫我最喜歡的角色吧，孫策、龐統、郭嘉等等，但他們的人生都太短暫，能寫的都不多。那就寫他們死後的故事吧？讓他們成為無常，成為鬼差，去制伏那些放不下塵世的英靈。於是，就成為了這個故事。

其實這故事最初是名為《無常之符》的，因為是打算集中以符，亦即是孫策為主，所以龐統和郭嘉嘛……看來就要等等了。

最後，讓我兌現《知節》時的賭約，感謝當時未能道謝的CTRL G同伴們：小茶、小猿、火車、亨利、Alex、Costo、安東尼、門響、柳廣成、毛、M邦、多利、月牙、小步、草、Bobby，還有Yuthon、鏟和茶里。（沒有漏了吧？）

還有，要感謝陳浩基和李柏青兩位老師為我寫推薦語。感謝喬大，您和陳浩基兩位老師當初的評語，是讓我繼續寫小說的最大動力。至於畫封面的東東，因為我會請他吃飯，就不謝了。感謝編輯Zeny及Aaron、設計Stephen。感謝Marco，感謝Wendy，以及天窗的前同事們。還有還有，要感謝家人無限的包容。

對了，上年因緣際會當了兩個月的天行者編輯，是段很匆忙又很有趣的經歷，還了卻我當小說編輯的心願，而且今年亦當了一會freelance編輯，前後編輯了六本小說，至於是哪六本？就去揭揭版權頁，看看哪本有我的名字吧。

希望能在《三國無常》卷二再見吧！

謝鑫　二零二一年五月十八日

武俠誌 02

三國無常

作者　謝鑫
內容總監　曾玉英
責任編輯　林沛暘　杜偉航
書籍設計　Stephen Chan
封面插圖　東東
圖片提供　Getty Image
出版　天行者出版有限公司 Skywalker Press Ltd.
九龍觀塘鴻圖道 78 號 17 樓 A 室
電話　(852) 2793 5678
傳真　(852) 2793 5030
出版日期　2021 年 6 月初版
發行　天窗出版社有限公司 Enrich Publishing Ltd.
九龍觀塘鴻圖道 78 號 17 樓 A 室
電話　(852) 2793 5678
傳真　(852) 2793 5030
網址　www.enrichculture.com
電郵　info@enrichculture.com
承印　佳能香港有限公司
九龍紅鸞道 18 號中國人壽中心 A 座 5 樓
定價　港幣 $98　新台幣 $490
國際書號　978-988-74782-1-8
圖書分類　(1)流行文學　(2)小說／散文